HISTOIRES A FAIRE PEUR

ALFRED HITCHCOCK

présente :

Histoires à faire peur

(STORIES MY MOTHER NEVER TOLD ME)

TRADUIT DE L'ANGLAIS
PAR ODETTE FERRY

LE LIVRE DE POCHE

Je remercie chaleureusement Robert Arthur pour l'aide inestimable qu'il m'a apportée dans la préparation de ce volume.

ALFRED HITCHCOCK.

INTRODUCTION

A moins que vous n'ayez commencé ce livre par la fin et que vous ne l'ayez lu à l'envers, vous avez sans doute remarqué qu'il s'appelait Histoires que ma mère ne m'a jamais racontées[1]. Permettez-moi de vous signaler que ce titre décrit le contenu de ce volume avec une parfaite exactitude. Je suis prêt à jurer devant n'importe quel tribunal qu'aucune de ces histoires ne m'a jamais été racontée par ma mère sous quelque forme que ce soit.

La raison en est fort simple. Aucune d'elles n'avait été écrite au temps où ma mère me racontait des histoires.

Je ne crois pas, cependant, que ma mère m'eût relaté les contes que j'ai réunis ici, même si elle les avait connus. Et je ne vous recommande pas non plus de les faire lire sans discrimination à vos jeunes rejetons. Ce sont des histoires au goût bien déterminé, faites pour ceux qui apprécient les délices du poignard, des cris dans la nuit, du poison versé dans une carafe de porto.

Je crois qu'il est de notoriété publique que je m'adonne aux contes qui font frissonner le lecteur d'épouvante, hérissent sa sensibilité et accélèrent ses pulsations à grands coups de « suspense ». J'ai été jusqu'à présenter des re-

1. *Stories my mother never told me* est le titre américain du livre.

cueils d'histoires dans lesquels j'avais réuni des récits qui
me paraissent distiller la meilleure essence de ces émotions.

Mais, en ce qui concerne ce livre, je n'aurai pas la pré-
somption de prévoir quelles réactions il suscitera de votre
part, ami lecteur. Pas plus que, en dépit de mon immense
désir, je n'essaierai d'attirer votre attention sur une histoire en particulier. Ces histoires doivent être abordées
sans avertissement comme sans idées préconçues. C'est de
cette façon seulement qu'elles produiront tout leur effet
sur les systèmes nerveux sensibles.

La seule chose que je puisse vous promettre, c'est que
vous allez éprouver toute la gamme des réactions émo-
tionnelles (excepté bien sûr les sentiments tendres avec
lesquels je n'ai rien à faire). J'ai été jusqu'à inclure dans
ce recueil un ou deux contes, à seule fin de vous distraire.
Mais ne prenez pas cela pour un signe de faiblesse. Même
dans ces contes il y a des frissons[1] sous-jacents qui don-
neront une curieuse saveur à leur dégustation. Et il y a
d'autres histoires que je considère comme quasiment dia-
boliques.

En outre...

Mais quelqu'un a dit que les meilleures introductions
étaient les plus courtes.

Donc, en avant!

---

1. En français dans le texte (N. d. T.)

L'ENFANT QUI AVAIT LA FOI

de

GRACE AMUNDSON

C'ÉTAIT un magicien de grande classe, bien que ses prix fussent raisonnables. C'est ce qu'il leur avait dit. Mais ils semblaient croire que, puisqu'il était bon marché, ils devaient lui donner des leçons. Il avait expliqué que ses honoraires étaient toujours plus modestes en dehors de la saison. Il leur avait en outre assuré qu'il était engagé sans arrêt du mois de septembre jusqu'à fin mai. Et si ç'avait été la saison des vacances par exemple, ils auraient dû se contenter de quelqu'un de beaucoup moins doué.

Il acceptait volontiers un ou deux galas de charité pendant la canicule. En fait cela l'amusait de prêter de temps en temps sa personnalité à une réunion cordiale d'entrepreneurs parvenus, vêtus de leurs plus beaux atours. Mais, quand il arriva, il fut accueilli au portail par l'un d'eux qui le poussa assez peu aimablement dans la tente où était dressé le buffet. Comme s'il s'agissait d'une vieille haridelle qu'on pousse au dernier moment dans l'arène. En un mot, on l'avait traité à la manière d'un de ces spécimens qui arrivent bouffis d'alcool et vacillants pour exécuter leurs numéros.

Son hôte, un type plein d'entrain, vêtu d'une veste de peau marron, lui offrit une cigarette qu'il sortit de son étui en crocodile pour gagner ses bonnes grâces.

« Je m'appelle Camden. Nous avons pensé qu'il valait

mieux que les enfants ne vous voient pas jusqu'à ce que vous paraissiez sur scène. »

Armitage posa sur un banc sa valise noire fatiguée et enleva ses gants jaunes que de nombreux lavages avaient rétrécis.

« Je crois que les enfants acceptent le merveilleux avec beaucoup de bon sens », dit-il, tout en jetant un regard de mépris sur l'intérieur de la tente. Ses yeux s'arrêtèrent finalement sur Camden.

« Sans doute savez-vous de quoi il s'agit », dit Camden.

Il parlait avec une assurance presque offensante, mais ses narines cireuses palpitaient d'une façon faussement angélique. Ce tic poussa à bout les nerfs fatigués d'Armitage.

Armitage jeta ses gants sur le dessus de sa valise. Sa redingote dégageait une vague odeur de naphtaline.

Un faux pli couvert de moisissure s'était formé sur ses revers dans quelque vestiaire oublié.

« Je ne m'occupe jamais des raisons de ces fêtes, dit-il sur un ton las.

— C'est la kermesse annuelle d'été dont les bénéfices serviront à la construction de l'Académie d'Ascension, persista Camden. Nous, les pères, nous organisons tout. Les côtés accessoires de la représentation et le reste. Ellerman fait l'aboyeur cette année. Une de ses filles suit les cours d'Ascension. Il va arriver d'un instant à l'autre pour vous passer les derniers tuyaux. Mais d'abord, on va vous apporter à souper ici. »

L'air était plein de relents de graisse bouillante et de poulet. Armitage renifla avec dégoût. Sa fragile stature se modifiait selon la considération qu'il accordait aux gens.

« Généralement je ne mange pas avant le spectacle, mais si la représentation a lieu tard, je crois que je me

sentirais faible si je ne prenais pas quelque nourriture.
J'avalerai quelque chose, quelque chose de léger si cela
ne vous fait rien.

— Vous ne voudriez pas répéter un peu votre numéro
avant ? »

Armitage sans comprendre fixa ses yeux sur Camden,
et ses pupilles verdâtres ressemblaient à des grains de
raisin dont on aurait retiré la peau.

« Vous dites ? »

Camden se rendit compte de sa méprise. Il tripota ses
boutons de manchette. Dehors les lanternes se balan-
çaient, bordant l'obscurité de festons lumineux.

« Je vais voir si je trouve Ellerman », dit Camden.

A l'entrée de la tente, il s'arrêta.

« Faudrait peut-être qu'on vous explique quels vont
être vos spectateurs. Ce sont tous des enfants. Ça ne sera
peut-être pas très facile. L'année dernière, ils... oh, que
diable, vous n'avez pas envie qu'on vous ennuie avec
ça. Seulement, je vous le dis, on ne les amuse pas si facilement que de mon temps. Bon sang, je serais bien en
peine de dire pourquoi... Ils sont trop gâtés probablement. »

Armitage répondit par un vague sourire protecteur.

« Vraiment, je ne m'inquiéterais pas si j'étais à votre
place. »

Camden sortit de la tente. Armitage s'assit, ouvrit sa
valise et arrangea quelques objets. Il appuya le bout
des doigts sur ses paupières, soupira, fronça le nez au
lieu de le gratter. Il assouplit ses doigts, soupira de nouveau et enfonça une cigarette dans son fume-cigarette
délicatement veiné d'or ; le grand Pignon le lui avait offert
lorsqu'il avait réussi le tour de force de s'échapper d'un
sarcophage en ciment.

Dehors, Ellerman se promenait au milieu du public en

déployant une ardeur qui eût mieux convenu à une vente aux enchères. Armitage sourit. Un public qui ne cherchait ni le bonheur ni le danger. Le magicien tambourinait rythmiquement sur la table. Il avait été capable, en son temps, de se débarrasser de six cadenas à la fois mais il n'avait jamais pu produire une once d'alcool au moment où il en avait le plus besoin. Or, il avait connu un prestidigitateur norvégien fort médiocre qui, à l'occasion, s'était montré capable en pressant une éponge sèche d'en exprimer de l'*aqua vitae* verte. Mais c'était strictement de la fabrication maison. La voix d'Ellerman se rapprochait.

« Par ici, mes amis ! Vous y êtes, mes amis ! Droit au but ! »

C'était assez pathétique, pensa Armitage. Au fond, tout est assez pathétique. Ce n'est pas la mort des gens qui est une tragédie mais la vie misérable qu'ils mènent, en dépit des possibilités dont ils disposent. Il n'y avait plus un seul esprit généreux parmi les prestidigitateurs. Pas étonnant que la profession fût tombée aussi bas. Soudain, à l'extérieur de la tente, un grand bruit retentit, qui frappa, comme une corde qui claque, les nerfs frémissants d'Armitage. Il enfonça ses pouces dans ses orbites et jura tout bas.

« Arrête-toi tout de suite ! Arrête-toi ! cria une voix d'enfant. Habille-toi convenablement pour qu'on ne se moque pas de toi ! Tu ne devrais pas t'habiller comme ça. Arrête-toi tout de suite ! »

Le pan de la tente fut soulevé rapidement et une enfant raide, tout en jambes, fut projetée à l'intérieur, vigoureusement poussée par un homme portant un chapeau melon en papier, un faux nez, un veston étriqué et des pantalons trop courts.

« Alors, qu'est-ce qu'il t'arrive, jeune dame ? » demanda-t-il, et il remonta, au milieu de son front, son faux nez accroché à un élastique, ce qui fit apparaître une tache pâle au milieu de son teint rubicond.

L'enfant fixa cette nouvelle horreur avec une rage amère.

« Cela suffit comme ça, dit l'homme avec fermeté. Ce matin, tu étais en transes à l'idée que je tiendrais ce rôle !

— Mais ils rient ! Tous les gosses se moquent de toi !

— Eh ben, ils rient. C'est ce qu'il faut. Je suis drôle, non ? »

Il se mit en position et grimaça idiotement.

Tel un bouc furieux l'enfant se jeta sur lui, tête en avant, et ses poings martelèrent la poitrine de l'homme. Un bouton de son veston sauta.

« Non, ils ne doivent pas rire de toi. Tu es mon père ! Arrête, arrête tout de suite ! »

Il se détacha de son étreinte avec difficulté. Elle était comme une liane vivante et tenace.

« Ecoute-moi maintenant. Tu resteras ici jusqu'à la représentation du prestidigitateur. Si tu continues à être aussi ridicule, je te renvoie à la maison et tu ne verras pas le magicien, c'est compris ? »

Il regarda l'heure, remit son incroyable nez en place et se tourna vers la sortie. Soudain, il aperçut Armitage.

« Ah ! vous voilà ! dit-il. Camden s'est occupé de vous, n'est-ce pas ? Il viendra vous appeler quand ce sera votre tour. Il y a beaucoup de monde. Excusez-moi. »

Il sortit en courant et reprit ses aboiements.

L'enfant, une maigre petite blonde, aux cheveux plats et rares, fit demi-tour et avec ses yeux lavande pâle regarda avidement Armitage. Elle avait le cou d'une autruche. Sa lèvre supérieure trop courte, qui découvrait ses dents, lui donnait une expression boudeuse comme si elle ruminait intérieurement. Elle mordit un morceau de peau autour de ses ongles, le cracha en réfléchissant, et, dans un tourbillon de linge blanc et de rubans bleus, elle s'approcha du banc où était assis Armitage, effleurant du bout des doigts la valise magique qui y était posée. Elle se laissa tomber sur le siège, à quelque distance d'Armitage, et l'observa pour voir s'il était vraiment irrité. Armitage la regarda à son tour avec indifférence et forma deux merveilleux anneaux de fumée qui la couronnèrent comme des auréoles. Avec une grande nonchalance, elle tourna la tête pour être au centre de ces anneaux. Puisqu'elle n'avait rien à dire pour l'instant, elle décida de gratter une petite écorchure récente sur son genou abîmé.

Une femme aux épaules tombantes, mal coiffée, apporta, sur une assiette, la moitié d'un poulet rôti entouré de quelques frites. Elle la posa devant Armitage sur une table portative, puis regarda l'enfant avec un fonds de tendresse.

« Eh bien, dit-elle, que fais-tu là ?

— Je me gratte mon écorchure. »

D'un air offusqué, la femme fit appel à Armitage. Il continuait à disséquer son poulet avec une précision d'entomologiste. Il ne fit pas attention au regard de la femme.

« Chère madame, puis-je avoir une tranche de citron avec ce poulet ?

— Nous ne servons pas de citron avec le poulet.

— Madame, je ne m'intéresse pas à votre ignorance culinaire mais, si vous ne me donnez pas une tranche de citron pour dissoudre cette graisse cuite, vous n'aurez pas de représentation ce soir. »

La femme le contempla d'un air excédé et se dirigea vers la cuisine.

« Je veux aussi du poulet, annonça l'enfant.

— Je ne sers que les artistes, répliqua la femme tout en remettant en place une bretelle sous sa blouse.

— La jeune dame est mon assistante », dit Armitage avec hauteur.

La femme grommela et s'en alla en traînant les pieds dans la sciure de bois, Le silence s'installa sous la tente.

Finalement, l'enfant dit :

« De mon père aussi les gens ont peur. »

Armitage continua à manger distraitement.

« Ce qui importe, c'est le respect, dit-il. C'est la seule chose qu'on ne puisse pas acheter avec de l'argent de nos jours.

— Mon père est très pauvre », lui assura-t-elle un peu nerveusement.

Il y eut un autre silence.

« Voudriez-vous me révéler votre nom ? s'enquit finalement Armitage.

— Constance. Constance Ellerman.

— Constance, eh ! C'est une des qualités qui nous manquent le plus. »

La serveuse revint vers eux d'un pas lent pour apporter une tranche de citron et l'autre moitié du poulet. Constance regarda le demi-cadavre tiède étalé sur l'assiette et se recula, rebutée par l'idée d'une mort si récente.

« Je n'en veux pas », dit-elle vite, et une expression de dégoût apparut dans ses yeux.

La femme se pencha sur elle et lui secoua l'épaule pour rire. Cette gaieté cachait une énergie chargée de rancune.

« Pourquoi n'en veux-tu pas ? C'est du très bon poulet. »

Armitage intervint hâtivement.

« Quelle sorte de cannibale sommes-nous, madame, pour dévorer ceux qu'on a élevés ? »

Adroitement, il coupa une tranche de poulet pour le rendre plus difficilement reconnaissable et enferma la viande entre deux morceaux de pain.

« C'est pour vous, ma chère. Un peu de viande magique. Une bouchée sur trois est un porte-bonheur. »

La femme déposa le café et une tarte au citron tremblotante, puis sortit à contrecœur. Avant de quitter la tente, elle leur jeta un regard irrité.

Armitage rangea ses couverts, mit ses mains sur la table et les examina pendant un long moment d'un air méditatif. La faible lueur vacilla sous la tente. Constance mordit deux fois dans son sandwich et tourna la tête pour examiner Armitage. Un chat au pelage tigré et lustré pénétra à pas feutrés et vint se frotter contre ses jambes. Elle lui tendit un morceau de tarte au citron. A la troisième bouchée de son sandwich, Constance sortit d'entre ses lèvres un petit caillou et le déposa soigneusement sur la table.

Elle interpella Armitage.

« C'est quoi, ça ? »

Sa rêverie fut brutalement interrompue.

« Quoi ? Oh ! ça ? Ah !... c'est la troisième bouchée. »

Il plongea son doigt dans un verre plein d'eau et laissa tomber une goutte sur le petit caillou qui se transforma en un petit palmier en papier.

« C'est facile, lorsqu'on est un magicien, dit Constance.

— C'est bien ça, soupira-t-il, on est toujours sous-estimé. Nous trafiquons avec le surnaturel, nous ridiculisons les sorciers, nous jetons des défis aux alchimistes, et quelle récompense en tirons-nous ? Du scepticisme ! Je vous le dis, Constance, nous, les magiciens, nous sommes les tristes hères d'une humanité perdue. Pauvres êtres calomniés qui viennent de nulle part et vont nulle part. Entre deux mondes, le conscient et l'inconscient, nous accomplissons des exploits presque divins. Personne ne peut les expliquer et nous-mêmes en sommes effrayés. Pour accomplir nos miracles nous disposons de la seule télépathie : un soupçon d'idée, une inspiration fugitive, une vague conjecture. Ayez pitié du pauvre magicien, Constance. »

Bercée par le rythme suave des paroles, Constance jouait avec le bout de son oreille.

« Montrez-moi, exigea-t-elle. Prouvez-moi ce que vous pouvez faire.

— Et trafiquer de mon âme ? Sûrement pas. On ne peut faire certains tours spéciaux qu'un nombre de fois limité, vous savez.

— Combien de fois ? »

Armitage réfléchit, les lèvres serrées, fermant à demi les paupières.

« Oh ! je crois que j'ai le pouvoir d'exécuter deux autres tours de ma spécialité magique. Bien sûr, c'est un numéro très personnel.

— Montrez-le-moi.

— Si je faisais ce numéro en votre honneur, je ne pourrais plus faire le même tour qu'une seule fois, n'est-ce pas ? Non, je ne peux pas courir ce risque, Constance.

— Pourquoi pas ?

— Eh bien, d'abord parce que cela épuise un homme. Ensuite si, par hasard, j'avais absolument besoin un jour de refaire ce tour devant des spectateurs difficiles, que se passerait-il ? Eh bien, j'aurais gaspillé pour vous toute une représentation. »

A l'extérieur, conduits par la voix d'Ellerman, les enfants se dirigeaient nonchalamment vers l'extrémité la plus éloignée de la pelouse de l'école. La tête de Constance tournoya en entendant ce bruit, et ses cheveux voletèrent. La honte filiale empourpra ses joues. Elle se retourna contre Armitage.

« De toute façon, je suis sûre que c'est un tour idiot, lança-t-elle. Et je suis sûre que je me moquerais de vous. »

Pour se protéger contre les bouffonneries d'Ellerman, Armitage grogna, geignit et pressa son pouce et son index sur son nez. Un vol de moucherons obscurcit la faible lueur de l'ampoule qui pendait au milieu de la tente. Lorsque Armitage releva la tête, une expression décidée apparut sur son visage.

« Constance, dit-il, vous m'avez vraiment humilié. Je vous accorde une représentation spéciale.

— Ça m'est égal, dit-elle négligemment en jouant avec le chat.

— Mais moi, cela ne m'est pas égal. Quel sentiment éprouverais-je dans dix ans, quand Constance Ellerman sera devenue une personne très importante, si aujourd'hui je ne me montrais pas bienveillant envers elle?

— En tous les cas, je ne serai pas idiote quand je serai grande. » Armitage se recula sur le banc et ses doigts touchèrent à peine la table portative.

« Regardez, Constance, dit-il d'une voix rauque. Moi, Armitage, prince des magiciens, successeur du grand Pignon, je peux recréer l'histoire sous forme de miniature condensée et animée. Observez attentivement : je vais reconstruire pour vous la magnificence de Gengis Khan au Turkestan, telle qu'elle était il y a huit cents ans. »

Armitage aspira profondément. Sa poitrine maigre ne se gonfla pas beaucoup mais par contre ses joues se creusèrent d'une manière alarmante. Ses yeux s'exorbitèrent légèrement et son teint safran devint subitement blanc. L'air se raréfia autour d'eux, jusqu'à ce qu'Armitage, Constance et la tente parussent s'enfermer dans une sphère parfaite, se mouvant librement dans un espace immortel, éloigné du bruit temporel de la kermesse. Constance bâilla en ressentant une certaine pression contre ses tympans, et alors Armitage commença à souffler : deux petites boules phosphorescentes se formèrent d'abord, qui

grandirent petit à petit, jusqu'au moment où, avec une
étonnante précision, le magicien produisit des globes lumineux couleur pastel, d'une taille considérable. Et dans
chacun d'eux on apercevait, soit une petite silhouette, soit
un groupe de silhouettes parfaitement proportionnées, qui
sans s'occuper des autres, semblaient poursuivre leurs terribles aventures. Il y eut d'abord Gengis Khan, un méchant Chinois (c'est ainsi qu'il apparaissait à Constance)
qui franchissait la Grande Muraille en compagnie de ses
guerriers. Il y avait des palanquins avec des princesses, des
batailles en miniature grouillantes de soldats, des visages
exotiques et étrangers. Constance n'essaya pas de saisir
les globes lorsqu'ils passèrent au-dessus de sa tête. Elle se
contenta de les observer d'un œil froid, jusqu'à ce qu'ils
éclatent et disparaissent. Elle appréciait à sa juste valeur
ce morceau de bravoure technique qui prouvait qu'Armitage était un magicien au-dessus de tout soupçon, mais
elle ne trouvait aucun compliment convenable car seuls les
adultes peuvent exprimer leur surprise avec des exclamations trop usées.

Graduellement, tandis que son effort diminuait, la tension quitta le visage d'Armitage. Sa respiration se fit plus
normale, les globes pastel devinrent plus petits et leurs
couleurs s'assombrirent. Le spectacle qui se déroulait dans
ces globes perdit de son intensité jusqu'à ce que les
silhouettes fussent à peine plus grandes qu'un grain de riz,
tout en conservant leur authenticité. Finalement, il n'y eut
plus rien dans l'air qu'une écume étincelante. Les bruits
de la kermesse envahirent de nouveau la tente. Armitage,
assis, était pareil à un instrument qui a perdu ses cordes
et des gouttes de sueur perlaient sur son long nez.

« C'était bien », reconnut Constance et, se rapprochant
du magicien, dont le visage était défait, elle lui demanda :
« Comment vous sentez-vous ? »

Armitage secoua la tête comme pour faire disparaître le brouillard qui emplissait ses oreilles.

« Parfaitement bien, Constance, parfaitement bien. Pourtant, si quelqu'un va trop loin dans ce domaine, ce quelqu'un pourrait bien...

— Mourir ?

— C'est un mot plutôt cruel, n'est-ce pas, Constance ?

— Comme je voudrais savoir exécuter un tour comme ça ! Est-ce que je pourrais apprendre, vous croyez ? »

Armitage descendit ses manchettes et fixa soigneusement une cigarette dans son fume-cigarette.

« La virtuosité ne se contrôle, ni ne s'acquiert. C'est un don. Je ne peux que vous faire cadeau de ma science.

— Comment ?

— Eh bien, ce présent ne peut se faire qu'à un moment décisif, peut-être au moment où je serai sur le point de quitter cette terre de souffrance.

— Vous voulez dire au moment où vous serez sur le point de mourir ? » demanda Constance qui porta rapidement ses deux mains à ses lèvres.

Armitage sourit.

« Si vous voulez. Par exemple, si vous me teniez la main à cet instant tragique, le flux magnétique du génie (cette chose impérissable) s'enfuirait de moi pour pénétrer en vous. »

Constance poussa un profond soupir. Au même moment, Camden passa la tête à l'intérieur de la tente :

« Armitage, si vous êtes prêt à affronter cette bande de jeunes brutes, je vais vous montrer le chemin. »

Armitage se leva, écrasa sa cigarette et prit sa valise noire. Constance se leva aussi.

« Monsieur Armitage, murmura-t-elle, j'allais presque oublier. Vous ne pourrez pas refaire ce tour ce soir, hein ? Vous ne pouvez le faire qu'une seule fois et c'est tout, pensez-y bien.

— Ça va, Constance, je vais m'arranger.

— Vous aurez peut-être besoin de faire ce tour ce soir, dit-elle le front plissé d'inquiétude. Je suis désolée de vous l'avoir demandé pour moi. Peut-être que ça ne comptera pas. »

Armitage baissa la tête, une lueur amusée dans les yeux.

« Merci, Constance. J'apprécie infiniment votre inquiétude. »

Il s'en alla d'un pas nonchalant, l'épaule légèrement affaissée sous le poids de la valise.

Constance s'apprêtait à le suivre hors de la tente mais Camden lui barra le chemin d'un bras ferme :

« Ton père a dit que tu ailles rejoindre les autres enfants dans la salle, Constance. »

Elle se débattit pour se libérer :

« Laissez-moi aller ! »

Désespérée, elle cria à Armitage :

« Je suis désolée de vous avoir obligé à faire ce tour pour moi seule, monsieur Armitage, mais ça ne comptera pas, j'en suis sûre ! »

Folle d'impatience, elle mordit la main de Camden.

« Constance, espèce de petite... »

Lui tenant les deux mains dans le dos, il la poussa dans la salle, puis la lâcha comme un papillon. Avec répugnance, elle s'installa sur une chaise et attendit la représentation en se balançant. Son cousin, qui habitait dans un faubourg de l'autre côté de la rivière, souffla dans un serpentin en papier qu'il lui envoya dans les jambes. Avec une inconsciente malice, elle abaissa son pied et le déchira.

A ce moment, on éclaira les projecteurs de location et on tira les rideaux de velours bordeaux : M. Armitage apparut sur la scène, derrière sa table portative. Il ne leva pas la tête immédiatement mais continua à accomplir des gestes mystérieux au-dessus de ses accessoires comme si les spectateurs n'avaient qu'une importance secondaire. Constance battit des mains. Ses camarades demeurèrent silencieux. Armitage ne manifestait aucune appréhension mais plutôt un peu de mépris. Rapidement, avec la grâce suave d'un pantomime, il fit sortir de sa poche gauche quatre géraniums en fleur qu'il posa sur la table.

« C'est rien, se moqua le garçon placé devant Constance.

— C'est pas vrai », dit Constance en lui donnant un coup de pied.

Armitage prit un lourd morceau de bois qu'il fit tournoyer à toute vitesse entre deux doigts. Les contours perdirent de leur netteté et Armitage jeta une grosse balle en caoutchouc au milieu des spectateurs. Un sourire stéréotypé aux lèvres, il s'arrêta un instant, attendant les applaudissements. En vain. Alors, il se retourna et laissa tomber successivement de sa poche sept cigares allumés.

« C'est rien ! » répéta avec ennui le cousin de Constance.

L'heure passait lentement. Toutes les délicatesses de la magie et de la prestidigitation étaient présentées à une jeunesse sceptique. Rougissant, transpirant, mais gardant sa dignité, Armitage fouillait dans les coins les plus obscurs de son répertoire. Mais tous ses tours étaient trop subtilement parfaits et rien n'était assez spectaculaire pour retenir l'attention de ce public difficile. En vain jetait-il des miracles à leurs pieds pesants, en vain faisait-il jaillir des illusions parfaites devant leurs yeux repus. Visiblement, seul un grand coup pourrait réveiller leur curiosité endormie. Pendant tout ce temps, Constance, qui s'agitait sur sa chaise, était la seule à applaudir.

Découragé, Armitage sortit de sa valise une poignée de pièces de monnaie anciennes qu'il jeta en l'air. Elles s'évanouirent. Mais sur ses indications, elles furent retrouvées dans les poches de garçons dispersés aux quatre coins de la salle.

« C'est un farceur ! ricana un garçon assis au premier rang.

— C'est pas vrai ! hurla Constance... Montrez-leur, monsieur Armitage ! Donnez-leur une représentation d'histoire ! Ils verront ce dont vous êtes capable ! »

Armitage parut hésiter. Puis il prit une décision inspirée par la pitié sans espoir qu'il éprouvait pour son auditoire. Il se dressa de toute sa hauteur. Constance se mit à battre follement des mains.

« Je vais recréer pour vous un spectacle que vous ne méritez pas, dit-il. Je vais reconstituer pour vous, en miniature animée et précise, la bataille de Bunker Hill. »

Ces mots tombèrent dans le silence. Armitage fit quelques pas en arrière. L'atmosphère changea en même temps que sa respiration se faisait plus rapide et son teint plus pâle. Il commença à souffler lentement, puis plus vite. Des bulles apparurent, des bulles transparentes et d'un grand diamètre. Elles flottaient hors d'atteinte avant d'éclater à l'extrémité opposée de la tente. Vaguement d'abord, puis avec précision, chacune d'elles s'animait. De petites silhouettes se formaient, des régiments défilaient, des uniformes brillaient. Les garçons sortirent de leur léthargie et commencèrent à se battre pour avoir de meilleures places.

Constance s'inquiétait plus de l'effet que du phénomène. Ce fut seulement au moment où la plus grande bulle, contenant la charge des Britanniques sur la colline, passa au-dessus d'elle, qu'elle jeta un regard triomphal vers Armitage. Elle le vit qui vacillait et s'accrochait faiblement au rideau. Escaladant les chaises des autres enfants,

elle atteignit la travée couverte d'herbe et courut vers
la scène.

« Ne continuez pas, monsieur Armitage, arrêtez-vous ! »
hurla-t-elle.

Dans les coulisses, Camden qui, pour la première fois
depuis longtemps, avait une réaction intelligente, baissait
le rideau. Mais Constance s'était déjà faufilée sous le
rideau, entre les câbles de la rampe.

Quand elle arriva près d'Armitage, il était accroupi, la
tête sur les genoux. Elle glissa sa main dans la sienne.
Il sentit la chaleur et serra convulsivement les doigts de la
fillette. Avec des yeux braves et candides, elle regarda son
visage grimaçant. Il parvint à lui adresser un pâle sourire.

« Ben... Constance, murmura-t-il, vous avez réussi. C'est
à vous maintenant. Oh ! maîtres anciens... sa voix était
aussi légère qu'une feuille morte dans le vent d'automne.
Je recommande à votre grâce, Constance... première femme
dans la lignée royale des... Gardiens... »

Ellerman et Camden arrivèrent en même temps, l'un
avec une bouteille de limonade, l'autre avec une trousse
de secouriste. Armitage, plein de dédain, leur fit signe
de le laisser tranquille et il s'écroula. Il fallut vingt bonnes
minutes à Ellerman avant qu'il ne retrouvât sa fille,
recroquevillée sous le corps d'Armitage, sa main dans celle
du magicien.

Tout en la dégageant, il tenta de la divertir.

« Eh bien, jeune dame, nous allons vous renvoyer à la
maison avec Martin. Et nous taquinerons M. Armitage à
votre sujet lorsqu'il ira mieux. »

Elle essuya son visage mouillé de larmes avec la manche de son bras libre et écouta Ellerman avec indulgence :

« En tout cas, fit-elle, j'ai tout appris de lui avant
sa mort. »

Ellerman jeta un faible regard à Camden et posa le revers de sa main sur le front de la fillette.

Camden ramena Ellerman chez lui. La femme de Camden les y attendait. La veille, ils avaient projeté de boire un verre tous les quatre pour se remettre ensemble des fatigues de la soirée. Les femmes étaient assises dans la salle de jeux au-dessus du garage.

« Saluez notre maître de piste, dit Mme Ellerman lorsqu'il entra. Comment ça a-t-il marché ?

— C'est la dernière fois, dit Ellerman.

— Rappelle-toi que nous devons faire des sacrifices pour que notre fille fréquente une école élégante.

— Ce prestidigitateur mangé aux mites nous a fait la sale blague de mourir pendant la représentation », dit Ellerman en se démaquillant avec une serviette en papier.

La femme d'Ellerman regarda la femme de Camden : elle venait de comprendre ce qui s'était passé.

Derrière le bar en bois de pin, Camden faisait tomber des tranches d'ananas dans des verres à la forme démodée.

« Sale affaire. Pas d'adresse sur lui. Pas un sou dans ses poches. Un petit pain dans sa valise. Venant de nulle part... retournant nulle part.

— Qu'est-ce que tu en as fait ? demanda sa femme.

— On l'a envoyé à la morgue. On aurait peut-être mieux fait de l'amener ici avec nous ?

— Bah ! un vieux de plus ou de moins, soupira sa femme.

— Martin a bien ramené Constance à la maison ? interrogea Ellerman.

— Dans un piteux état !

— Elle était drôlement bouleversée, je crois. Elle avait besoin de son lit, cette jeune dame.

— Eh bien, elle n'y est pas allée », dit sa femme sans élever la voix.

Ellerman leva la tête : ses yeux étaient encore cernés par son maquillage qui lui donnait un drôle d'air.

« Où diable est-elle ?

— Elle est dans le jardin. Oui, mon chéri, les portes sont verrouillées. Elle y a couru quand Martin l'a ramenée à la maison et elle refuse de rentrer. J'ai essayé de l'attraper mais je cours moins vite qu'elle.

— Pour elle, ça a été une terrible épreuve, déclara Ellerman. Est-ce qu'elle pleure ?

— Elle pleure ! Tu penses, elle est en colère contre toute la société. Elle grince des dents. Elle ne veut pas nous voir. Nous sommes idiots. Les gens se moquent de nous. Nous n'avons pas besoin de l'entretenir plus longtemps. Elle gagnera sa vie. Oui, elle gagnera sa vie, s'il vous plaît, grâce au merveilleux tour de prestidigitation qu'elle a hérité de ce M. Armitage. Savais-tu que notre fille peut faire revivre l'histoire dans des bulles colorées ? Crois-tu que nous devrions la prendre au mot ? »

Ellerman en appela à Camden.

« Je te le dis, mon vieux, il n'y a pas de justice. On passe une bonne partie de sa vie à s'esquinter pour donner à ses enfants ce qu'on n'a jamais eu. Tu es considéré comme un imbécile quand tu veux prouver que tu es un copain. Et qu'est-ce qu'il arrive ? Un minable charlatan débarque avec un sac plein de tours de passe-passe et tes gosses se retournent contre toi. »

Camden fourragea dans sa poche pour y trouver son briquet et sortit, avec surprise, un morceau de papier qu'il examina en s'accoudant contre le bar.

« Est-ce que tu comprends ça, Ellerman ? Au diable si ça veut dire quelque chose ! »

Ellerman s'approcha de lui.

« On dirait un de ces arbres généalogiques.

— Mais il n'y a pas de mères. Rien que des pères. Et ils ne sont pas tous de la même nationalité.

— Des boutures internationales, lança Ellerman. On dirait un vrai ramassis d'artistes bohémiens. Où as-tu eu ça ?

— Je l'ai trouvé dans la valise magique d'Armitage. J'ai pensé que ça pourrait nous donner des indications sur sa famille.

— Qu'est-ce qu'il y a dans le coin là-haut ? » demanda Ellerman.

Camden se pencha et essaya de déchiffrer l'écriture à peine lisible.

« Généalogie de la succession — c'est ce que je lis — Succession de quoi, pour l'amour de Dieu ? Ecoutez-moi ça : Hippolyte, Gerbert, Androletti, Baptiste Perta, Kricher, Comus, Philipstal, Maskelyne, de Kolta, Pignon, Armitage... et après Armitage il y a un point d'interrogation.

— Je reconnais le point d'interrogation. »

Camden s'appuya nonchalamment sur le coude.

« C'était un magicien assez extraordinaire et tu le sais. » Il se tourna vers sa femme. « Ce gars, Dolores, a pu reconstituer dans des bulles la bataille de Bunker Hill. Tous les détails étaient d'une netteté étonnante. Les silhouettes se mouvaient exactement comme dans un film, seulement elles avaient trois dimensions... Comment expli ques-tu ça, Ellerman ?

— L'illusion optique doit beaucoup à la lanterne magique », répliqua Ellerman sans conviction. Il prit son verre et en examina le contenu d'un œil critique, comme s'il s'attendait à y voir surgir quelque bateau.

« Avant que tu t'endormes, dit sa femme, ce serait une bonne idée d'aller arracher la jeune Constance aux phantasmes et lui faire quitter la rosée de la nuit. »

Ellerman fit claquer ses doigts et posa son verre. En toute hâte, il descendit les escaliers qui conduisaient au jardin.

« Constance, appela-t-il de toutes ses forces, il est temps de retrouver la raison et d'aller te coucher. Constance, où es-tu ? »

Il traversa rapidement le verger et dépassa les bancs qui bordaient le sentier.

« Constance, réponds-moi.

— Tu n'as plus besoin de te soucier de moi, lui fut-il répondu évasivement.

— C'est possible, dit son père se dirigeant vers l'endroit d'où venait la voix de sa fille, mais la Société protectrice des Jeunes filles pourrait présenter une objection. As-tu froid ?

— Non.

— Oh ! te voilà, dit Ellerman en se baissant. Comment diable as-tu abouti ici et qu'est-ce que tu fabriques ? »

Trahie par sa robe blanche, Constance était accroupie contre la barrière, au milieu des buissons épineux des roses grimpantes.

« Je suis en train de m'exercer.

— T'exercer à quoi ?

— Au tour des bulles. M. Armitage m'en a fait cadeau.

— Allons, si tu rentrais, on pourrait parler de ça à l'intérieur.

— Je n'ai pas besoin de rentrer. Maintenant je vais toujours habiter ici, dehors. »

Ellerman supputa les chances qu'il avait de la tirer de ce buisson d'épines sans l'égratigner. Il se demandait comment elle avait pu s'y introduire. Quoi qu'il en soit, elle était assise là, tel un malheureux petit oracle aux prises avec le monde. Ellerman comprit qu'elle avait été bouleversée. Après tout, l'enfant avait tenu la main de la mort. Même pour un adulte, c'est une expérience capable de causer un traumatisme. Il ne fallait pas qu'il l'oublie.

« Constance, dit-il gentiment. M. Armitage est mort ce soir. Cela a été un choc pour nous tous.

— Pas pour M. Armitage.

— Peut-être. Mais les choses sont différentes en ce qui concerne M. Armitage. A présent, il mène un autre genre de vie... une vie plus agréable, plus facile. C'est ça la mort, tu comprends.

— Tu es bête.

— Oui, j'ai souvent envisagé cette possibilité. Mais il y a une chose importante que nous ne devons pas oublier : M. Armitage est mort, c'est vrai, mais nous, nous n'avons pas changé. Nous continuons à vivre de la même manière. Nous nous levons le matin, nous prenons notre petit déjeuner, nous nous couchons le soir... »

Elle recula contre le mur et émit un gémissement de protestation :

« Moi, je suis différente. M. Armitage m'a légué son tour de magie. Je peux faire la même chose que M. Armitage. Je peux reproduire l'histoire, comme il l'a dit. »

Ellerman se leva. Les jointures de ses genoux firent un bruit sec :

« Pour le moment, tu ne connais rien de l'histoire, dit-il avec froideur. Il faut que tu apprennes. Sur ce point, il n'y a pas à discuter et je n'en démordrai pas. Je rentre à la maison. Lorsque j'atteindrai les marches je te laisserai encore une chance. Si tu ne viens pas à cet instant, la porte sera fermée à clef jusqu'à ce que tu demandes pardon pour la façon dont tu t'es conduite. Ta mère et moi t'aimons tendrement. Mais tu n'es pas une petite fille extraordinaire. Tu ne possèdes pas non plus de talents exceptionnels. Si dur que cela puisse te paraître, je te rappelle qu'il faut que tu apprennes à vivre en étant ce que tu es. »

Ellerman se dirigea vers la maison. Dans la salle de jeux, Camden jouait sans arrêt le disque de la Polka alsacienne comme chaque fois qu'il venait en visite chez Ellerman. Soudain, Ellerman se rendit compte que ce disque était aussi stupide que Camden lui-même. Il se trouva submergé par l'irréalité de son existence parfaitement normale.

De tout son cœur, il aurait souhaité rester dans le jardin pour consoler sa fille. Il avait toujours tenté de se conduire comme un père convenable dans toute l'acception du terme. Que se serait-il passé si ses parents à lui n'avaient pas détruit les fières illusions de sa jeunesse ? Où serait-il à présent ? Il y avait des moments où il était terrifié à l'idée que son enfant était remarquable. Peut-être eût-il mieux valu que Constance fût stupide. Il devait pourtant exister un juste milieu entre ces deux extrêmes. D'ailleurs à quoi cela sert-il d'être un prodige ?

Arrivé à l'escalier, il se retourna lentement et regarda le fond du jardin obscur. Il ne pouvait pas espérer supprimer Armitage en une seule soirée. Ces charlatans possèdent incontestablement un charme irrésistible.

« Tu viens, Constance ? »

Toujours cachée dans son buisson d'épines, elle tempêtait de rage :

« Attends ! Tu vas voir... Je vais te montrer... »

Ellerman attendit puis, brusquement, il fit un pas en arrière en se protégeant les yeux avec son bras. Flottant dans l'air, venant du bout du jardin, des globes couleur pastel s'avançaient vers lui. Ils contenaient en miniature tous les événements de sa propre existence.

UN SIMPLE RÊVEUR
de
ROBERT ARTHUR

NICHOLS, qui fabrique des saxophones, disait au moment où Morks et moi pénétrions dans la salle de lecture du club :

« La nuit dernière, j'ai fait un rêve extraordinaire : j'étais dans une fusée qui venait de se poser sur la lune et un troupeau d'animaux aussi gros que des éléphants, mais qui avaient des ailes, virevoltaient autour de moi, essayant de m'atteindre. Je savais que je rêvais, bien sûr, mais la scène était si réelle que la peur m'éveilla. »

Morks (qui en vérité répond au nom curieux de Murchison Morks) dit d'une voix pensive, lorsque nous arrivâmes à la hauteur du petit groupe, qu'il avait connu quelqu'un dont les rêves étaient bien plus extraordinaires encore. Les rêves qu'il faisait étaient tellement réels qu'ils effrayaient sa femme.

« Et ils la réveillaient ? » demanda Nichols, intrigué.

Morks secoua la tête.

« Non, elle s'enfuit et l'abandonna en hurlant de terreur. C'était une femme entêtée et dépourvue de scrupules. Il était fort difficile de l'effrayer. »

Le visage de Nichols rougit.

« Comme je vous le disais, continua-t-il en ouvrant à peine les lèvres, lorsque je me suis rendormi j'ai rêvé que j'avais retrouvé le trésor du capitaine Kidd. L'argent était si réel que je l'ai entendu cliqueter quand il tomba et...

— Lorsque mon ami rêvait d'argent, l'interrompit Morks de cette voix curieusement douce et qui porte si loin, cet argent était si réel qu'on pouvait le dépenser. »

Nichols, écarlate de colère, essaya d'ignorer l'intervention.

« J'aurais voulu que vous voyiez la fille splendide qui a surgi à cet instant, dit-il. Elle... »

Mais Morks est un homme dont on n'ignore pas aisément l'intervention.

« Lorsque mon ami rêvait d'une belle fille, murmura-t-il, tandis qu'une expression lointaine envahissait son long visage triste, vous la voyiez réellement. »

D'écarlate Nichols devint pourpre. Mais Morks avait gagné. Tous les yeux étaient tournés vers lui. Morks, sans avoir l'air de remarquer l'attention qu'avaient provoquée ses paroles, se laissa tomber dans le fauteuil de cuir le plus moelleux du club et regarda pensivement ce qui se passait de l'autre côté de la fenêtre jusqu'à ce que j'arrête un serveur qui passait pour prendre le plus grand verre posé sur son plateau et le mettre dans la main de Morks. Alors Morks baissa les yeux, examina le contenu de son verre, le porta à ses lèvres et, après en avoir avalé le tiers, contempla les gens qui l'entouraient :

« Peut-être faudrait-il que je vous donne quelques explications, dit-il courtoisement, pour que personne ne pense que j'exagère... en ce qui concerne les rêves de mon ami, tout au moins. »

Et il commença :

Cet ami s'appelait Weem, Wilfred Weem. C'était un homme petit, avec des manières aimables et une voix agréable. Une fois, j'ai même entendu une femme déclarer qu'il avait de beaux yeux. Mais il était très calme et j'avais l'impression que, dans le ménage, c'était son épouse qui portait la culotte. Sur ce point, l'avenir me prouva que j'avais raison.

Weem était un comptable qui gagnait assez d'argent. Argent que sa femme, qui s'appelait Henrietta, dépensait pour elle plus rapidement qu'il ne le gagnait. Son travail n'était pas passionnant et c'était peut-être pour cette raison que Weem prenait un tel plaisir à rêver. Il m'expliqua plus tard que ses rêves étaient à la fois précis et clairs : il visitait des pays étrangers, rencontrait des gens intéressants, etc., toutes choses que sa femme ne lui aurait jamais permis de faire dans la réalité. Il n'avait même pas le droit d'y penser.

Il semble que ce soit peu de temps après son installation dans les faubourgs de Jersey que les rêves de Wilfred Weem se soient matérialisés avec une telle précision. Il essayait de l'expliquer lui-même en disant que sa maison était située à moins de 100 mètres d'un des plus puissants émetteurs de radio du monde. Vous comprenez, l'air était sillonné de courants électriques...

Il est certain que l'on entendait le chien en bronze, posé sur la pelouse devant la maison, chanter les refrains à la mode ou diffuser les dernières nouvelles d'Europe, les nuits froides et claires. Des experts de la radio ont aisément expliqué ce phénomène. Pourtant, on était bouleversé quand on en était le témoin ! Je suis sûr, en tous les cas, que les faits que je vais vous rapporter sont liés à la proximité de la station de radio.

Par un bel après-midi ensoleillé, j'étais assis dans le parc en train de contempler les cygnes lorsque Wilfred Weem apparut, marchant d'un pas morne. Quand il me vit, il vint vers moi.

Nous conversâmes poliment puis, soudain, il éclata : « Morks, avez-vous jamais fait des rêves si réels... bon sang ! si réels que quelqu'un d'autre voyait la même chose que vous ? »

Je réfléchis à la question et je fus obligé de répondre par la négative ; Weem épongea son front.

« Eh bien, moi, oui, dit-il. Ça m'est arrivé l'avant-dernière nuit. Et il fallait que j'en parle à quelqu'un d'autre que ma femme, bien sûr, et cet imbécile de docteur. Il se nomme Alexander Q. Brilt, et se dit spécialiste des maladies mentales... En fait, c'est un vulgaire charlatan ! Il a un visage glabre, des yeux protubérants et un lorgnon retenu par un cordon noir. Il ne connaît rien à la médecine. »

Weem renifla :

« Je vais vous raconter ce qui est arrivé », continua-t-il.

Deux nuits auparavant, il était allé se coucher comme d'habitude dans sa minuscule petite chambre voisine de celle de sa femme (ils font chambre à part parce qu'il est allergique à la poudre qu'elle se met sur le visage et qui lui donne des crises d'asthme quand ils partagent le même lit).

Il était assez fatigué. Aussi, après avoir feuilleté un magazine, s'était-il retiré un peu plus tôt que de coutume. Henrietta, elle, était restée pour se faire une mise en plis.

Il était endormi depuis une demi-heure environ et il était en train de rêver d'un chat persan primé dont il avait vu quelque temps auparavant la photo sur la couverture d'un magazine lorsque, tout à coup, il se rendit compte qu'il ne rêvait pas simplement du chat mais qu'il était en train de le caresser.

Comprenant ce qui lui arrivait, il demeura immobile pendant plusieurs secondes et continua de rêver de ce chaton persan soyeux qui faisait sa boule sur son lit en ronronnant. Et pendant qu'il rêvait, il sentait effectivement la douceur de la fourrure sous ses doigts.

Alors, il sut qu'il était dans cet état curieux que nous

avons tous connu quelquefois : il était à la fois endormi et éveillé. Une moitié de son cerveau était endormie et rêvait, tandis que l'autre était éveillée.

Il entendait le tic-tac de sa montre. Il entendait une automobile passer devant sa maison. Et il entendait aussi le chat ronronner.

Il n'ouvrit pas les yeux de crainte de se réveiller complètement mais cependant une partie de son cerveau était parfaitement consciente. Dans son rêve, il voyait le chaton faire sa boule. Avec sa main, il tâtait son poil. Il lui caressait le dos, lissait sa fourrure et il sentait la petite langue râpeuse lui lécher les doigts.

Il eut alors l'impression, d'une manière extrêmement vague, que quelque chose de très étrange se passait. Il savait qu'ils n'avaient pas de chat. Henrietta détestait tous les animaux sauf un affreux canari en train de muer qu'elle dorlotait comme si c'était son enfant.

Puis le chaton se mit à miauler, très clairement, comme s'il avait faim. Immédiatement Wilfred rêva qu'un bol de lait était sur le sol, à côté du lit. Comme s'il l'attendait le chaton se leva, sauta par terre — il entendit le bruit que l'animal fit en touchant le sol — et puis Wilfred Weem perçut un lapement.

Intrigué, il laissa sa main glisser le long du lit : le chat était là, occupé à boire son bol de lait.

Il était si surpris qu'il se redressa et ouvrit les yeux. Naturellement, il cessa de rêver. Il regarda en bas de son lit ; le chat n'y était pas. Il n'en restait nulle trace, pas plus que du bol de lait.

Il était intrigué et un peu inquiet. Mais il se dit alors qu'il avait fait un rêve tout simplement, mais un rêve qui s'était matérialisé, comme de nombreux autres rêves qu'il avait faits depuis qu'il s'était installé dans cette maison où, qu'on le voulût ou non, les robinets émettaient de la musique douce quand on prenait un bain. Alors, il se rendormit.

Il se mit de nouveau à rêver. Cette fois, sans raison apparente — vous connaissez le processus des rêves — il possédait une très jolie pendulette gainée de cuir, avec un cadran lumineux dont il avait vu la publicité dans le même magazine où avait paru la photo du chaton. Il la voyait très clairement avec le grain de la peau de porc et la position des aiguilles lumineuses. Elles marquaient 11 heures 44.

Alors Weem comprit qu'il se trouvait de nouveau dans cet état de demi-veille et il entendit le tic-tac de la pendule à côté de lui.

Prudemment, il étendit la main. Sur la table à côté de son lit, il y avait une pendulette qui ne s'y trouvait pas quand il était allé se coucher. Elle avait un cadre en cuir carré et des coins de métal.

Ainsi une chose absolument exceptionnelle était en train de se produire. Donc Weem se risqua à ouvrir légèrement les yeux sans déranger cette portion de son cerveau qui était toujours en train de rêver et il vit la pendulette posée sur la table, comme dans son rêve, brillant vaguement dans l'obscurité. Les aiguilles indiquaient 11 heures 44.

Alors, Weem ouvrit ses yeux tout grands et le rêve cessa immédiatement. Exactement au même moment la pendule disparut. Quand il fut tout à fait éveillé, il ne restait plus rien.

« Vous comprenez, me demanda anxieusement Weem, vous comprenez bien ? Je n'avais pas simplement rêvé du chat et de la pendulette, *mais pendant que je les voyais en rêve, l'un et l'autre existaient réellement !* »

J'acquiesçai. Je comprenais. C'était une idée inquiétante.

C'est très bien quand on rêve d'un chaton et que l'on en voit un posé sur son lit. Mais admettez que vous ayez un cauchemar, par exemple ? Les cauchemars soulèvent des problèmes tout à fait différents. L'idée de matérialiser certains de mes cauchemars me faisait frissonner. J'en fis part à Weem qui était de mon avis.

« C'est ce qui me tourmente moi aussi, Morks, reconnut-il. Cependant je ne crois pas qu'il y ait beaucoup de risque qu'une chose pareille m'arrive. Je crois que je suis capable de rêver seulement de choses réelles, de choses qui existent véritablement, ou qui ont existé. Mais, naturellement, couché sur mon lit, dans l'obscurité, j'avais des sueurs froides à la pensée que je pourrais avoir un cauchemar. J'essayais de rester éveillé. Je me pinçais, je me tirais les cheveux. Mais sans doute étais-je épuisé car je ne pus résister au sommeil. Et alors... alors... la chose la plus abominable m'arriva.

— Vous avez fait un cauchemar ? demandai-je.

— Non, fit-il en secouant la tête, j'ai rêvé d'une fille. D'une très jolie fille, avec de beaux yeux bleus et des cheveux couleur de miel. C'était une jeune fille dont la photo avait paru dans le magazine dont je vous ai parlé, sur une page consacrée à la mode de Palm Beach. Elle portait un maillot de bain. Un deux-pièces en Lastex, très réduit. Elle était jeune et fort jolie. Dans mon rêve, elle me souriait comme sur sa photo.

— Et...

— Oui, dit Weem. Comme pour le chaton et la pendulette, elle était réellement là. Je tendis le bras et elle prit ma main. Ses doigts étaient tièdes, exactement comme le seraient ceux d'une personne vivante. Je l'entendais même respirer, très doucement. Je sentais un léger parfum. Elle se mit à parler. Je l'entendis nettement. Elle disait : « Je m'appelle... »

Wilfred Weem marqua un temps d'arrêt.

« Et alors, marmonna-t-il, Henrietta fit irruption dans la pièce. »

Lentement, il passa ses doigts entre son col et son cou.

« Elle était en train de faire sa mise en plis, dit-il, et elle m'avait entendu m'agiter parce que j'essayais de demeurer éveillé. Alors elle avait regardé par le trou de la serrure pour voir ce qui se passait. Et... elle avait vu la jeune fille. »

A ce souvenir, un léger frisson le parcourut.

« Naturellement, continua-t-il, quand elle surgit sur le seuil, je m'éveillai complètement et la jeune fille disparut. Henrietta était furieuse. Ce fut seulement quand elle vit que le paravent était à sa place et que personne n'était caché dans la pièce qu'elle me laissa placer un mot. Mais, même après mon explication, il fallut discuter avec elle jusqu'à l'aube qu'elle voulût bien admettre — du moins en partie — qu'il s'agissait seulement d'un rêve extraordinaire.

« Je lui montrai la photo dans le magazine pour qu'elle se rende compte que c'était la même jeune fille. Grâce à quoi, elle comprit qu'il était possible que je lui aie dit la vérité. Si bien que dès le lendemain matin, elle me traîna chez le docteur Brilt, cet idiot de psychiatre dont quelques-unes de ses amies étaient folles. »

Le docteur Alexander Q. Brilt avait essayé d'obtenir de Weem qu'il lui fasse dans son cabinet une démonstration de son étrange pouvoir onirique. Weem était assez fatigué pour s'endormir, c'est vrai, mais ses rêves ne se matérialisèrent pas. Voyant renaître le soupçon sur le visage d'Henrietta, il avait insisté pour que le médecin vienne dans leur maison de Jersey le soir même.

« C'était la nuit dernière, me dit Weem. Il fallait que je

le convainque, lui, vous comprenez, pour convaincre Henrietta. Je me disais que le pouvoir avait peut-être disparu, qu'il était seulement provisoire. Mais il n'en était rien. Ce fut même plus facile que la veille. Je regardai simplement la photo d'un manteau de vison. Je rêvai qu'il était posé sur la chaise dans la salle de séjour et immédiatement, j'entendis Henrietta pousser un gloussement :

« Un manteau de vison ! s'exclama-t-elle. Bonté du Ciel! « Je me demande comment il m'irait ? »

« J'ouvris un peu les yeux et, à travers la porte ouverte, je la vis en train de passer le manteau. Mais alors, le téléphone se mit à sonner — c'était un faux numéro — et je me réveillai complètement. Le manteau disparut des épaules d'Henrietta et elle fut indignée.

« — Tu aurais bien dû dormir suffisamment pour me « permettre de voir comment il m'allait », me dit-elle.

« Dieu seul savait si elle aurait jamais de nouveau la chance de porter un manteau de vison, soit en rêve, soit en réalité. Mais Brilt la calma. Il me demanda si je pouvais recommencer.

« Je me sentais horriblement fatigué. Donc, au lieu de lui envoyer mon poing dans la figure — tout en lui me déplaît —, je lui prouvai que c'était possible. Je rêvai de fauteuils trop capitonnés, d'un bocal rempli de poissons tropicaux et des adosse-livres, dont j'avais vu les photos dans le magazine. Je tentai de rêver de quelque chose dont je n'avais pas vu la photo mais je ne parvins à aucun résultat.

« Et après tout cela, Brilt se contenta de hocher la tête comme s'il avait déjà rencontré des centaines d'hommes pareils à moi. Il dit pourtant que mon cas était très intéressant. Très intéressant, en vérité ! »

Weem renifla encore une fois.

« Après quoi, il a demandé à Henrietta de venir le

voir aujourd'hui à son cabinet, continua-t-il tandis qu'une
menace s'allumait dans ses yeux. Elle est là-bas en ce moment. Ils fricotent quelque chose et j'aimerais savoir quoi.
Je n'ai aucune confiance dans les gens qui portent des
lorgnons retenus par un cordon noir et qui emploient
de grands mots. »

Weem regarda sa montre, se leva rapidement. Il avait
l'air agité.

« Il faut que je me dépêche sinon je serai en retard
à mon rendez-vous, bégaya-t-il. Je suis content d'avoir pu
vous parler, Morks. Ça m'a un peu tranquillisé l'esprit.
Mais il faut que je me dépêche maintenant sinon Henrietta sera fur... »

Sa voix s'éteignit tandis qu'il descendait en courant le
chemin qui conduit à la 59e Rue.

Je ne le revis pas pendant plusieurs semaines. Mais, un
après-midi où je prenais de nouveau un bain de soleil
dans le parc, il se dirigea vers moi en toute hâte comme
s'il me cherchait. Les premiers mots qu'il prononça prou-
vèrent que c'était bien le cas, en effet.

« Morks, dit-il avec désespoir, je suis content de vous
retrouver. Il faut... j'ai besoin d'avoir votre avis. »

Nous nous assîmes. Il était maigre et hagard, avec des
cernes de fatigue sombres sous les yeux. Sa main tremblait
lorsqu'il me tendit une allumette pour ma cigarette. Lui,
il ne fumait pas : sa femme le lui interdisait.

Alors il me raconta ce qui s'était passé depuis notre
dernière conversation...

Il avait été surpris lorsque le docteur Alexander Q. Brilt
était venu chez lui le soir où nous nous étions vus pour
la dernière fois. Mais Henrietta semblait l'attendre. Le
docteur Brilt avait expliqué avec suavité qu'il désirait
prendre quelques notes supplémentaires sur le cas de Wil-

fred Weem. Il espérait que Weem ne lui en voudrait pas.
Or, Weem lui en voulait et comment ! Mais Henrietta ne
lui laissa pas le temps de réagir. Elle dit que Wilfred était
absolument d'accord et qu'il était trop heureux d'obliger
le docteur.

Avec répugnance, Wilfred s'allongea sur le divan et le
docteur sortit de sa poche un objet vert qu'il tint devant
les yeux de Weem pour que celui-ci le regarde. C'était un
billet de dix dollars.

« Je vous en prie, lui dit le médecin d'une voix dou-
cereuse, regardez attentivement cela. Il faut que cela s'im-
prime dans votre cerveau. Par curiosité, je souhaiterais
me rendre compte si vous pouvez le matérialiser comme
les autres objets. »

Weem fixa le billet de dix dollars. Il en nota tous les
détails, y compris le portrait d'Alexander Hamilton au
regard d'aigle lointain. Puis, épuisé par deux nuits consé-
cutives d'insomnie, il sombra dans le sommeil. Et il commença à rêver.

« Mais pas de billets de dix dollars, me dit Weem avec
un ricanement de fantôme. Je savais déjà que je pouvais
rêver seulement de choses dont j'avais vu des *photos,* et
non pas des objets réels eux-mêmes. Probablement direz-
vous que les rêves sont des projections d'images et non
pas des reproductions de la réalité. En tous les cas, je
rêvais d'Alexander Hamilton. »

Un furtif sourire lui retroussa le coin de ses lèvres.

« Henrietta et le docteur Brilt éprouvèrent un drôle
de choc quand ils se trouvèrent dans la pièce avec Alexander Hamilton, à l'œil fier et impérieux. Il les regarda
et ils ne lui plurent pas. Il ricana avec mépris. Avec un
mépris très net. Alexander Hamilton prisa et éternua
bruyamment dans son mouchoir.

« Bien sûr, ce n'était pas le vrai Alexander Hamilton.

C'était la projection onirique de son portrait. Un portrait réel, naturellement, tant que mon rêve durerait, mais ce n'était pas l'original.

« C'est comme si, par exemple, vous, Morks, vous me donniez une photo de vous et que je la regarde avant de m'endormir. Si je rêvais de vous, ce ne serait pas le vrai Morks qui apparaîtrait. »

Il désirait ardemment me faire comprendre cette partie du curieux phénomène. Quand je l'eus assuré que je comprenais, il continua :

« Alors Henrietta se remit suffisamment de sa frayeur pour crier et son cri me réveilla. Alexander Hamilton s'évanouit. Mais Brilt et Henrietta étaient profondément bouleversés. Pour ce soir, ils en avaient assez. Brilt partit en toute hâte. Je pris un soporifique et me couchai. Je ne rêve jamais quand je prends un soporifique.

« Le lendemain matin, je dis à Henrietta qu'il fallait que nous déménagions. Lorsque je serais loin de cette maison, j'irais très bien. Mais elle me dit non, que c'était absurde, que nous avions signé un bail et qu'il fallait que nous restions là. Elle était très catégorique. Je compris donc que nous ne déménagerions pas. »

Wilfred Weem demeura silencieux pendant un moment, méditant tristement. Puis il poursuivit l'histoire.

« Je croyais pourtant, murmura-t-il d'un ton sombre, que nous allions être débarrassés de ce charlatan, de ce Brilt. Mais la nuit suivante, il reparut et Henrietta l'accueillit comme un vieil ami. Cette fois, il avait apporté la photo d'un billet de dix dollars, une photo tirée sur papier brillant.

« Donc, naturellement, quand j'ai rêvé — Henrietta m'avait contraint à essayer — j'ai rêvé d'un billet de dix dollars, posé sur la table de la salle de séjour. A demi éveillé, j'ai vu Henrietta et Brilt le palper, le regard de tous leurs yeux. Puis Brilt l'a examiné avec un microscope.

« Ils ont eu l'air très excité et ils se sont mis à se parler à l'oreille. Brilt a pris le billet de dix dollars et est sorti. Probablement, allait-il essayer de le dépenser pour voir si c'était une reproduction parfaite. Alors, j'ai attendu quelques minutes et je me suis arrangé pour me réveiller.

« Bien sûr, à cet instant précis, le billet a disparu de sa poche et il est revenu dix minutes plus tard, fou furieux. Henrietta aussi était furieuse. Ils ont prétendu que j'avais gâché la partie la plus significative d'une importante expérience scientifique. J'ai dit que ce n'était pas ma faute. Alors Brilt a mis son chapeau sur la tête et est parti. Seulement avant de s'en aller il a murmuré quelque chose à Henrietta. Et le lendemain soir il était de retour chez nous. »

Wilfred Weem sortir son mouchoir et s'épongea le front. Ses yeux étaient creusés par la fatigue et la perplexité.

« Morks, dit-il d'une voix malheureuse ce qui s'est passé, cette fois après l'arrivée de Brilt, *je l'ignore.*

— Vous l'ignorez ? répétai-je.

— Je ne me souviens de rien. Jusqu'à mon réveil le lendemain matin où quand j'ai ouvert les yeux j'ai cru être damné. J'avais l'impression d'avoir rêvé de quelque chose toute la nuit mais je ne pouvais pas me rappeler quoi. Henrietta jura que j'avais eu sommeil et que j'avais été me coucher et que je n'avais pas du tout rêvé. Je l'aurais crue mais... »

Les yeux de Weem soutinrent mon regard avec une intensité désespérée.

« Mais, termina-t-il, *la même chose s'est produite toutes les nuits pendant les dix dernières nuits !* »

Je réfléchis. C'était très significatif.

« Et je voudrais savoir ce qui s'est passé pendant toutes
ces nuits dont je ne me rappelle rien ! dit Weem. Je suis
décidé à le savoir. Croyez-moi, Morks, il doit se passer des
choses extraordinaires car presque tous les matins, quand
je me réveille, Henrietta a entre les mains des objets de
luxe.

« La première fois, c'était un manteau de vison. Puis
successivement une jaquette d'hermine, un rang de perles,
une ménagère en argent, un flacon d'un parfum fort cher.
Et hier matin, c'était un bracelet d'émeraudes. »

Je lui ai demandé quelles explications en donnait sa
femme.

« Elle dit que je les ai vus en rêve, marmonna Weem
d'un air sombre. Elle dit que je les ai vus en rêve et qu'ils
sont... restés. Ils n'ont pas disparu. Parce que le docteur
Brilt, cet âne à la face glabre, m'a aidé à me concentrer
dans mon sommeil, en me murmurant des suggestions. Elle
prétend qu'il m'hypnotise pour me faire rêver de ces
objets avec une telle intensité qu'ils ne s'en vont pas quand
je me réveille. Mais je ne la crois pas. »

Il se mordit la lèvre.

« Ou, peut-être après tout est-ce vrai ! s'exclama-t-il
farouchement. Je ne sais que penser. Morks, je deviens
fou. Je m'éveille le matin avec l'impression d'avoir cent
ans. Je dors toute la journée au bureau et toute la nuit
à la maison, et chaque jour, je me sens plus mal. Il faut
que je quitte cette maison, que j'aille dans un endroit où
je puisse dormir convenablement. Et Henrietta ne me
laissera pas. »

Il était dans un état terrible. Aussi lui dis-je rapidement
que je pourrais peut-être l'aider. Cependant, je lui expli-
quai qu'il fallait d'abord que nous sachions ce qui se
passait pendant ces nuits dont il n'avait nul souvenir.
Il admit mon point de vue et nous tombâmes d'accord :

ce soir, j'irais secrètement chez lui et je me cacherais dans le bosquet.

Généralement, le docteur Brilt arrivait à neuf heures. Dès qu'il aurait pénétré dans la maison, je me faufilerais jusqu'à la fenêtre que Weem aurait laissée un peu ouverte. J'observerais et j'écouterais. Le lendemain, nous nous rencontrerions dans mon appartement. Ainsi je pourrais lui dire ce qui s'était passé et nous établirions nos plans pour l'avenir.

Cette nuit-là, un peu avant neuf heures, je me cachai dans l'ombre épaisse d'un lilas, devant la fenêtre de la salle de séjour de la modeste demeure de Weem à Jersey. A une centaine de mètres, les grandes tours surmontées des antennes de la radio se détachaient sur le ciel nocturne, décorées de petites lumières rouges qui brillaient comme des bijoux.

Le chien en bronze posé sur la pelouse chantait d'une manière insolite « Jeanie et ses cheveux châtain clair », que les gouttières reprenaient en échos. J'étais en train de me demander comment les vendeurs d'appareils de radio se débrouillaient pour gagner leur vie dans ce quartier, lorsqu'une voiture s'arrêta au bord du trottoir et qu'un homme grand, avec un visage glabre, s'avança dans l'allée, frappa et entra. Puis, par la fenêtre, j'observai ce qui suivit.

Tout se passa à peu près comme je l'avais soupçonné. Le docteur Alexander Brilt, tout en secouant la main réticente de Weem, le fixait en plein dans les yeux. Le visage de Weem perdit vite toute expression : Brilt était un bon hypnotiseur.

« Vous allez dormir profondément cette nuit, Weem, murmura-t-il de sa voix onctueuse. Mais d'abord, vous allez regarder cette photo que j'ai apportée pour vous. La voilà. C'est la photo d'un billet de banque... d'un billet

neuf de dix dollars. Il y en a cent en tout. Fixez-les bien
dans votre esprit. A présent, vous aller vous coucher, n'est-
ce pas ? Vous allez dormir. Vous allez dormir profondément jusqu'à demain matin et pendant toutes les nuits
que durera votre sommeil vous allez rêver de cette photo
des billets de dix dollars. D'accord ?

— Oui, docteur, murmura Weem d'une voix sans nuance. Je vais rêver de ces billets de dix dollars. »

Il se leva lentement et disparut dans sa chambre à
coucher. Dix minutes passèrent. Le docteur Brilt et Henrietta, une grande femme, à la mâchoire proéminente et
au nez camus, étaient assis, immobiles, attendant, sans
rien dire, le cœur battant.

Alors, venu on ne sait d'où, un petit paquet apparut
sur la table de la salle de séjour. Le docteur Brilt bondit,
arracha le papier d'emballage et en sortit une poignée de
billets verts tout neufs qui étaient incontestablement des
billets de dix dollars.

Il les palpa et son visage ainsi que celui de Mme Weem
prirent une expression avide.

« C'est dommage qu'ils ne soient pas aussi vrais qu'ils
le paraissent, remarqua-t-il, hein, Henrietta ? Pourtant
on peut s'en servir. Je pense que vous n'avez rien commandé aujourd'hui car, ce soir, c'est mon tour. J'ai fait
des achats en ville et on doit les livrer ici comme d'habitude. »

Henrietta Weem soupira :

« Il y avait une jaquette en zibeline que je voulais.
J'avais lu la publicité dans le journal d'aujourd'hui, dit-
elle d'un ton chagrin. Mais je n'ai pas oublié que ce
soir, c'était votre tour.

— Très bien ! Vous comprenez, il faut être prudent.
Jusqu'à présent tout a marché parfaitement. Je vous avais
bien dit que ces vauriens de livreurs sauraient bien se

débrouiller. Tous ont déclaré, quand ils ne trouvaient plus l'argent, qu'ils avaient été attaqués et dévalisés. »

La sonnerie de la porte les interrompit. J'avais été tellement absorbé par ce que j'entendais que je n'avais vu ni la voiture de livraison s'arrêter, ni un homme en uniforme s'avancer vers l'entrée. Le livreur pénétra dans la pièce quand Henrietta ouvrit la porte. Il tenait un petit paquet, soigneusement emballé.

« Une montre de chez Tiffany, commande spéciale, à livrer ce soir, contre remboursement à Mme Henrietta Weem, dit-il rapidement. C'est vous, madame Weem ?

— Oui, répliqua Henrietta Weem sans hésitation. C'est combien ?

— 958 dollars et soixante *cents*, y compris la taxe locale.

— En platine, murmura rêveusement le docteur Brilt, avec mouvement suisse. Des cadrans spéciaux pour le jour du mois et les phases de la lune. »

Mme Weem, qui avait certainement bien répété son rôle, compta les billets en les prenant dans la pile qui se trouvait sur la table. Le livreur lui rendit la monnaie, lui donna un reçu signé et s'en alla comme si de rien n'était.

« Ça y est, c'est fait, déclara alors Brilt quand la voiture de livraison fut partie. Votre mari va continuer à matérialiser l'argent jusqu'à demain matin en y rêvant. Nous ne serons donc mêlés, en aucune façon, à l'étrange disparition de cette somme. A propos, Henrietta, je crois qu'il vaudrait mieux que nous nous abstenions de faire d'autres achats pendant quelque temps. Tant va la cruche à l'eau qu'à la fin elle se casse. »

Mme Weem prit un air maussade.

« Je veux cette jaquette de zibeline, dit-elle avec détermination. Ensuite, nous nous arrêterons. »

Brilt haussa les épaules.

« D'accord, Henrietta, mais ensuite, il y aura un petit
entracte. Maintenant, bonne nuit. »

Il glissa le paquet contenant la montre dans sa poche.
Henrietta Weem jeta dans la corbeille à papiers les quatre
billets de dix dollars qui restaient et éteignit la lumière.
Je regagnai ma voiture en catimini. Lorsque je démarrai,
le chien en bronze était en train d'accuser violemment le
gouvernement de dépenser trop d'argent.

Le lendemain après-midi, dans mon appartement, Wilfred Weem fut horrifié par mon récit. Il rougit, puis pâlit.

« Mais, c'est du *vol*! cria-t-il; ils achètent des choses
très chères avec les billets dont je rêve et qui disparaissent
quand je me réveille et... »

J'étais d'accord avec lui : c'était certainement malhon-
nête. Weem se renfonça dans son fauteuil.

« Morks, grommela-t-il, je savais qu'Henrietta était
égoïste et avide. Elle a toujours dépensé mon argent pour
elle mais je n'aurais jamais deviné qu'elle pût commettre
une action pareille. C'est... c'est monstrueux. »

Il hocha la tête. Son visage était hagard, ses yeux creusés.

« Que pouvons-nous faire? Ça ne servirait à rien d'essayer de raisonner Henrietta et je... »

Il ne poursuivit pas mais je le compris. Et je lui dis,
qu'ayant réfléchi à la question, je pensais connaître un
moyen de ramener sa femme et le docteur Brilt dans le
droit chemin. Il me faudrait un jour ou deux pour y
parvenir mais j'avais l'impression que je pouvais lui promettre un bon résultat.

Je lui conseillai de rentrer chez lui ce soir. En rentrant,
il se coucherait et ferait semblant de dormir grâce à un
soporifique. Ainsi, il déjouerait provisoirement les projets
du médecin et d'Henrietta. Une fois endormi, bien sûr,

il ne pouvait être hypnotisé. Ensuite, continuai-je, s'il était disposé à revenir me voir le lendemain, je lui donnerais d'autres détails.

Ayant repris courage, Wilfred Weem partit et j'allai téléphoner à un jeune artiste peintre au talent prometteur que je connaissais. Je lui donnai des instructions complètes, ajoutai que je comptais qu'il me livrerait son travail le lendemain à midi sans faute. Ce qu'il me promit.

Lorsque, le lendemain après-midi, je racontai à Wilfred Weem ce que j'avais imaginé, son visage s'illumina. Un sourire effleura ses lèvres — le premier depuis bien long-temps. Il me jura de suivre mes instructions à la lettre et me dit qu'il m'attendrait le soir vers huit heures et demie.

A huit heures et demie exactement — j'aime toujours être exact — je sonnai à sa porte. Il me fit entrer et je pénétrai dans sa petite salle de séjour. Henrietta Weem me lança un regard lourd de soupçons.

Weem me présenta comme un marchand de tableaux qui passait le voir avec un tableau ayant retenu son attention. Et je lui remis le paquet plat que je portais.

« Un tableau ? fit Henrietta méprisante, quel genre de tableau, Wilfred ?

— Oh ! un petit tableau pour ma chambre, dit Weem sans préciser. Euh... »

Et tenant le tableau toujours enveloppé sous son bras, il fit tourner plusieurs fois la clef de sa porte dans la serrure comme s'il en vérifiait le fonctionnement.

« Je crois que cette serrure aurait besoin d'être graissée.

— Wilfred, qu'est-ce que tu fais ? » Le ton de sa femme était menaçant.

« Euh... je m'assure que ma porte ferme bien, lui répondit Wilfred. Ce soir, je crois que je vais la verrouiller et... »

Henrietta Weem lui arracha le tableau.

« Verrouiller ta porte ? hurla-t-elle. Wilfred, j'arriverai
bien à découvrir ce que tu manigances. »

Elle déchira le papier qui recouvrait le tableau. Tandis
qu'elle contemplait la peinture, elle devint pâle et poussa
un gloussement de stupeur :

« Voyons, Wilfred, tu ne ferais pas ça !

— Je vais le suspendre en face de mon lit pour que
ce soit la dernière chose que je voie avant de m'endormir. » Weem reprit la peinture des mains de sa femme.
« C'est du beau travail, tu ne trouves pas ?

— Wilfred ! » Il y avait de la frayeur dans le cri
d'Henrietta Weem. « Tu... tu... Si tu t'endors en regardant ça, tu... »

Weem ne répliqua pas. Il tenait le tableau à bout de
bras et le regardait avec admiration. Henrietta Weem
ne le quittait pas des yeux. Elle hurla, étouffant presque :

« Tu ne feras pas ça... assassin !

— Je crois, dit Wilfred Weem plaisamment, que cette
œuvre d'art va beaucoup me plaire, monsieur Morks. J'ai
toujours rêvé (il s'attarda sur ce mot)... de posséder un
authentique chef-d'œuvre. »

Ce fut à ce moment que les nerfs de Mme Weem cédè-
rent. Elle hurla comme une hystérique et se précipita en
courant vers l'armoire à vêtements. Ne pensant même pas
à saisir un des manteaux en fourrure mal acquis qui pendaient là, elle décrocha le premier manteau qui lui tomba
sous la main. S'enfonçant un chapeau sur la tête, elle courut
vers la porte qu'elle ouvrit.

« Je vais chez le docteur Brilt, haleta-t-elle, en respirant
difficilement : il te fera...

— Ramène-le avec toi, lui conseilla gaiement Wilfred
Weem. N'oublie pas de lui parler du tableau, en tous les

cas. A moins que tu ne préfères rester avec lui. Je crois
que tu as perdu tous tes droits sur moi, Henrietta. Et
je t'assure que je n'ai pas l'intention de me séparer de
cette œuvre d'art. Si Brilt ne veut pas de toi, s'il refuse
de te donner un abri et de t'épouser lorsque nous aurons
divorcé, menace-le de dire à la police ce que vous avez
fait tous les deux. Je pense qu'il t'écoutera. A présent,
(il bâilla avec affectation), je crois que je vais aller me
coucher. *Pour dormir* (il me fit un clin d'œil) *et rêver,
accidentellement !* »

Henrietta poussa un cri étranglé et, sanglotant à la fois
de rage et de terreur, claqua la porte et descendit l'allée
en courant. Weem me sourit.

Il exposa le tableau en pleine lumière et il me fallut
reconnaître que c'était un chef-d'œuvre. J'avais dit au
jeune artiste de se rendre au zoo et de peindre le tigre
le plus maigre et le plus efflanqué qu'il trouverait. Plus
le tigre serait grand, et mieux cela vaudrait. Il avait
suivi les instructions. Et la bête, qui nous regardait sur la
toile, au-dessus du titre « *LE TIGRE AFFAMÉ* », avait
l'aspect le plus famélique que j'eusse jamais rencontré.

Weem retourna la peinture et la posa sur la table.

« Oh ! oh ! bâilla-t-il, je vais vraiment aller me coucher. Et je vais prendre une pilule. Pas de rêves ce soir !
Et demain... son ton était devenu emphatique... Demain,
je déménagerai.

— Passez me voir demain alors, lui dis-je, je connais
un avocat qui pourra annuler le bail. Je vous donnerai son
nom et son adresse. »

Weem me remercia chaleureusement, me promit de venir et je partis. Mais (Murchison Morks, à cet instant,
s'arrêta pour jeter un regard circulaire sur le petit groupe
qui écoutait), quand Weem vint à mon appartement le
lendemain en début de soirée, il refusa de prendre le nom

de l'avocat que je voulais lui donner. Il hocha négative-
ment et fermement la tête.

« Euh... merci, Morks, dit-il mais je ne crois pas que
je vais me mettre en rapport avec lui pour le moment.
Henrietta n'est pas revenue. J'étais presque sûr qu'elle
ne reviendrait pas. Et j'ai merveilleusement dormi la nuit
dernière. Aujourd'hui, je me sens en pleine forme pour la
première fois depuis des semaines. Après tout, cette petite
maison est extraordinairement agréable. J'ai même été
content d'entendre un épisode du feuilleton radiopho-
nique qu'émettait mon rasoir électrique.

« En fait... euh... pour vous dire la vérité, la maison
est à vendre et je crois que je vais l'acheter. »

Sans doute l'ai-je regardé avec curiosité car il rougit
un peu.

« Oui, je sais, je voulais m'en aller. Mais j'ai changé
d'avis... euh... depuis qu'Henrietta m'a quitté. Mais je ne
veux pas vous ennuyer davantage. Je suis encore un peu
fatigué. Alors, je crois que je vais rentrer directement à
la maison, prendre un bon livre et me coucher. »

Il avait un livre sous son bras. Un grand livre plat.

« Ce livre ? demandai-je.

— Euh... oui, reconnut Weem. Je l'ai trouvé chez un
libraire aujourd'hui et je l'ai acheté.

— Oh ! fis-je. Je comprends. Eh bien, alors, Weem,
bonne chance.

— Merci, répliqua-t-il sérieusement, et il sortit en toute
hâte. Je ne l'ai pas revu depuis. Je le regrette. Je voulais
vraiment lui poser une question au sujet de... »

Mais Morks se tut sans terminer sa phrase. Il se cala
dans son fauteuil, joignit ses doigts comme s'il méditait.
Nichols, ne trouvant rien à dire, se leva, le visage pourpre. Ce fut l'un des plus jeunes membres du club qui
rompit le silence en demandant :

« Et qu'est-ce que c'était que ce livre ? »

Morks le regarda.

« Eh bien, dit-il, c'était un volume avec des reproductions en couleurs des œuvres de grands peintres. De beaux tableaux, vous savez. Le titre de ce volume était : *Les Cent Plus Belles Femmes de l'Histoire.* »

UN SÉPULCRE CLIMATISÉ
de
ANDREW BENEDICT

— Il existe des crimes pires que des assassinats, dit le petit homme en costume gris. Et il existe des châtiments pires que la chaise électrique.

Je ne sais pas pourquoi les gens s'adressent toujours à moi pour me raconter leurs histoires, que ce soit dans les bars, dans les trains ou dans les restaurants. En tout cas, c'est comme ça. Ce petit homme avait l'air plutôt réservé et il ne paraissait pas appartenir à cette catégorie de gens qui engagent la conversation avec des inconnus. Sa moustache grise cachait une bouche sans énergie et son regard de myope était difficile à saisir derrière les verres épais. Il était au bar et je n'avais parlé à personne. Je n'avais ouvert la bouche que pour commander une bière lorsque, à la télévision, on se mit à discuter sur la peine de mort. Alors, un consommateur prit la parole pour déclarer que la peine de mort était indigne de notre civilisation.

— La civilisation ? demanda le petit homme tandis que le barman tirait ma bière à la pression, qu'est-ce que ça veut dire ? C'est un mythe soigneusement entretenu. Nous sommes des sauvages vivant dans des cavernes confortables. Devant certaines provocations, l'homme primitif ressuscite.

Il but une gorgée de whisky sec et poursuivit :

— Prenez Morton, par exemple. Bien entendu ce n'est pas son vrai nom. Morton était le prototype de l'homme civilisé. Il était sensible à la musique et à tous les arts. Il était généreux et charitable. Respectueux des lois, il n'avait jamais fait de tort à personne. Anglo-Saxon, il était long à s'émouvoir — mais il était passionné de justice — tout au moins le croyait-il — et il adorait sa fille Lucy. Et puis un jour, Lucy se noya.

D'abord, il fut hébété de douleur. Ensuite, il apprit qu'un homme était responsable de ce suicide et sa douleur se changea en une haine telle, qu'il n'aurait jamais cru pouvoir éprouver un sentiment aussi violent.

Cet homme s'appelait Davis. C'était un athlète accompli, joueur de football, coureur à pied, excellent nageur. Il mesurait 1,80 mètre et avait la vitalité d'un chat sauvage. Rien de surprenant à ce que Lucy en fût tombée amoureuse. Elle l'avait rencontré à l'Université. Elle était étudiante de première année tandis qu'il terminait ses cours — et c'était à cause de lui qu'elle s'était suicidée.

Cette haine ne laissa plus à Morton un moment de répit. Il s'efforça, honnêtement, de se conduire comme un homme civilisé, de se persuader que ce que Davis avait fait, beaucoup l'avaient fait avant lui, quand il découvrit qu'une autre étudiante que Davis avait fréquentée s'était aussi donné la mort en s'empoisonnant. Alors, Morton décida de se substituer à la loi : c'est lui qui devait châtier Davis.

S'il avait été d'origine latine, peut-être Morton aurait-il abattu Davis d'un coup de revolver. Mais c'était un Anglo-Saxon : sa haine, longue à attiser, devint un incendie que rien ne pouvait plus éteindre.

Donc Morton prit tout son temps pour étudier les divers

châtiments à infliger à Davis et pour chercher l'endroit
où il exécuterait son projet. Il visita beaucoup de villes
avant de trouver ce qu'il cherchait : un studio qui avait
été précédemment occupé par un artiste.

Il se trouvait au dernier étage d'un grand immeuble
et Morton le loua sous un faux nom. Il se fit passer pour
un importateur que ses affaires appelaient souvent à
l'étranger. Quelquefois, il restait plusieurs mois absent. Il
habitait alors tout simplement chez lui et s'occupait réellement de ses affaires. Il fermait son studio soigneusement
à clé, ayant expliqué au gérant et au portier qu'il avait
chez lui des objets de grande valeur. Personne n'était
autorisé à pénétrer chez lui, aussi longues que fussent ses
absences.

Pendant un an, il posa des sceaux sur sa porte pour
s'assurer que personne n'avait enfreint ses ordres. Ce ne
fut jamais le cas. Dans les immeubles à loyers élevés, on
respecte scrupuleusement la vie privée des locataires; il
faudrait au moins un incendie ou une explosion pour
violer leur domicile. Morton avait donc accompli la première partie de son plan : mettre au point un système de
sécurité.

Ensuite, il fit imprimer du papier à lettres avec un en-
tête imaginaire et il écrivit à Davis pour lui proposer
une situation intéressante dans une firme imaginaire. Davis était invité à répondre au numéro d'une boîte postale.

Davis répondit : l'offre l'intéressait. Morton l'appela au
téléphone et lui demanda de venir en voiture (il avait
environ 150 kilomètres à parcourir) pour le rejoindre dans
un restaurant connu qui se trouvait aux abords de la ville
où il avait loué le studio. Toujours par téléphone, il le
pria de garder secrets leur rendez-vous et la proposition
qu'il lui avait faite — Davis devait même rapporter la
lettre originale — sous prétexte de concurrents dont les

intérêts étaient opposés aux siens. C'est une pratique assez courante quand il s'agit de traiter de grosses affaires.

Si Davis avait regimbé, évidemment, Morton aurait dû prendre d'autres dispositions pour l'attirer dans un guet-apens. Ce ne fut pas le cas; qui aurait rechigné devant une proposition aussi avantageuse ? Davis était grand, blond et il se dégageait de lui une extraordinaire énergie attractive. Assis modestement à sa table, Morton vit les femmes le suivre du regard quand il traversa le restaurant, d'un pas allègre.

Morton le connaissait grâce aux photos qu'il avait découvertes dans l'émouvant trésor de Lucy. Mais Davis ne savait pas du tout à quoi pouvait ressembler le père de Lucy. Morton se présenta. Ils burent un verre ensemble et un quart d'heure plus tard, ils prirent place dans la voiture de Davis pour regagner la ville. Ils se garèrent à proximité de l'immeuble où Morton avait son studio puis continuèrent à pied. Il était assez tard et l'entrée était déserte. Tous les immeubles de luxe ont aujourd'hui un ascenseur automatique.

Ils montèrent directement au studio sans rencontrer âme qui vive. Morton qui jusqu'alors avait été assez tendu se relaxa. Il plaisanta en préparant quelques boissons. Davis était véritablement un magnifique animal; il avala trois scotch avant que la drogue que Morton y avait versée fît son effet. Au moment où Davis commença à s'apercevoir que « ça ne tournait pas rond », la situation devint un peu gênante mais il sombra dans le sommeil avant que ses soupçons prissent corps. Il est surprenant de constater combien un homme bien habillé utilisant un langage châtié pour vous promettre un brillant emploi peut paraître inoffensif.

Lorsque Davis, terrassé par le soporifique, se renversa dans le fauteuil, la tête dodelinant sur le dossier, Morton prit

le temps de l'examiner. Même endormi, il émanait de ce
garçon un charme irrésistible et, pendant un instant, Morton sentit faiblir sa résolution. Mais il se rappela le dossier sur Davis qu'une agence de détectives privés avait
constitué sur sa demande et il sortit de son portefeuille
un instantané de Lucy prise à son seizième anniversaire.
Sa résolution s'affermit...

Davis était grand et lourd. Morton put cependant le
hisser le long de l'étroit escalier qui menait à l'atelier.
C'était une pièce bizarre. D'abord, elle était ronde. Jadis
c'était l'emplacement du réservoir d'eau qui alimentait
l'immeuble. Puis on avait construit un réservoir plus important et on avait utilisé cet emplacement pour y amé-
nager un atelier. Il était insonorisé. Morton avait eu
l'intention de procéder à cette insonorisation mais le
locataire précédent s'en était déjà chargé.

Il n'y avait pas de fenêtre, seulement une lucarne avec
un verre opaque et qu'on ne pouvait qu'entrouvrir. Il y
avait une installation pour l'air conditionné, dans le mur,
qui faisait pénétrer l'air frais tandis qu'une hotte de ven-
tilation chassait l'air vicié à l'extérieur.

Morton retira les chaussures de Davis, défit sa ceinture
et vida ses poches. Il brûla la lettre originale qu'il lui
avait envoyée et qu'obligeamment Davis avait rapportée.
Puis il redescendit l'étroit escalier et verrouilla la lourde
porte qui seule donnait accès au studio.

Il restait encore la voiture de Davis. Elle serait la preuve
qu'il était venu dans cette ville. Mais Morton avait tout
prévu. Il avait les clefs. Il prit le volant et la conduisit
dans le parking d'une maison de jeux qui avait très mauvaise réputation. Il était à peu près certain que s'il laissait
les clés sur la voiture elle disparaîtrait avant deux jours.
Et il avait raison. Dans une grande ville, il est surprenant
de constater combien d'individus sont résolus à se servir

des outils qui leur tombent sous la main. Les voleurs de voitures, par exemple. Mais revenons-en à Davis.

Il se réveilla. Ses habits étaient froissés, sa tête lui faisait horriblement mal ainsi que sa cheville gauche. Etourdi, il s'assit et regarda autour de lui. Il se trouvait dans une pièce circulaire de six mètres de diamètre, agréablement décorée. L'appareil de climatisation bourdonnait. En face du divan sur lequel il se trouvait, l'écran d'un poste de télévision était allumé. On donnait une émission consacrée à la cuisine. La porte était fermée et il était seul dans la pièce.

Davis essaya de se lever et il comprit alors pourquoi sa cheville gauche était douloureuse. Un anneau d'acier l'enserrait, relié à une chaîne rivée dans le mur, au pied du divan.

Quand il s'en rendit compte, Davis demeura quelques minutes immobile, essayant de réfléchir. Il avait terriblement soif et comme son cerveau devenait progressivement plus lucide, il aperçut, posé sur la table, à un mètre-cinquante environ, un pot en plastique. Il parvint à l'atteindre après mille contorsions. Il but à longs traits — près d'un litre — puis rejeta le pichet sur la table. Sur cette table, il y avait aussi du pain, mais il n'avait pas faim. Il reprit place sur le divan et s'efforça d'y voir clair dans sa situation.

Il se rappela nettement la soirée de la veille. Il était toujours, vraisemblablement, dans l'appartement de Morton. C'était certainement lui qui l'avait drogué et enchaîné. Mais il n'arrivait pas à comprendre pourquoi Morton avait agi de la sorte. Une plaisanterie stupide, sans doute ? Il décida qu'il en était ainsi.

La chaîne n'était rivée à sa cheville que pour lui faire peur. Il essaya de s'en débarrasser. Elle était aussi solide qu'une chaîne d'ancre. Il examina attentivement l'anneau :

le verrou qui le fermait était petit mais d'une fabrication irréprochable.

Davis remonta à l'autre extrémité de la chaîne : un anneau était scellé dans le mur et, quand Davis le secoua, un bruit métallique lui fit comprendre que derrière le plâtre une plaque de fer le retenait.

Alors, il examina les maillons un à un : la soudure était invisible et bien qu'ils ne fussent pas particulièrement massifs, ils avaient été fabriqués sans doute avec un acier spécial. En effet : c'était un alliage d'acier suédois capable de résister aux meilleures limes.

Davis fouilla fiévreusement dans ses poches pour y trouver une cigarette. Il n'y avait ni cigarettes, ni allumettes, ni pièces de monnaie, ni billets, ni stylo, ni crayon, ni canif. Avec son canif, peut-être aurait-il pu rompre un chaînon ? mais il savait maintenant qu'il se serait brisé sur ce métal.

Il éleva la voix, appela :

« Morton ! Morton ! »

Et il attendit. Sur l'écran de la télévision, une jolie fille était apparue, vêtue d'une robe de nylon blanc, qui disait : « Et puis vous ajoutez trois œufs, bien battus. »

Seul le sifflement de l'appareil de climatisation répondit à ses appels.

Malgré son absence d'imagination, Davis se sentit envahir par la panique. Morton devait être fou, seul un fou pouvait avoir manigancé cette farce. Pourtant il ne lui avait pas fait cet effet. Il se remémora comment il avait reçu la première lettre, comment Morton lui avait demandé de ne pas mentionner sa proposition. L'appel téléphonique, la rencontre au restaurant, l'insistance de Morton pour qu'il ne parlât à personne de leur rendez-vous et pour qu'il rapportât sa lettre.

Davis avait respecté loyalement les instructions. Il ne

s'en était ouvert qu'à deux de ses amies de passage, et de façon très évasive. Sa garçonnière était fermée à clé, d'ailleurs on n'y trouverait aucune indication sur ses allées et venues. Il se rendit compte soudain qu'il ne savait rien de Morton. Il ignorait même si Morton était son vrai nom, si la société dont il se disait le propriétaire existait. La vérité s'imposa brutalement à lui : Morton l'avait attiré dans un guet-apens en prenant toutes les précautions pour qu'aucune trace ne subsistât de leur rencontre.

Il sauta sur ses pieds et tira désespérément sur sa chaîne une douzaine de fois. Il n'obtint qu'un résultat : la douleur de sa cheville devint plus violente. Il se mit à hurler, à appeler au secours de toutes ses forces jusqu'à ce qu'il n'eût plus de voix, jusqu'à ce qu'épuisé, il se laissât tomber sur le divan.

Il n'obtint aucune réponse.

Il savait, malgré son hébétude, qu'il était dans un immeuble où il devait y avoir des centaines de locataires; tout au plus à dix mètres au-dessous de lui il devait y avoir des êtres humains qui ne pouvaient manquer de venir à sa rescousse. Il ignorait encore que personne ne pouvait l'entendre. Le seul monde qui avait accès à cette pièce était celui des ombres qui évoluaient sur l'écran de télévision. Un homme souriant de toutes ses dents venait de faire irruption sur l'écran, qui disait : « Mesdames, si vous voulez que votre mari s'asseye à table en poussant un soupir de satisfaction devant les plats que vous lui servez... »

C'était le seul lien qui le rattachait au monde terrestre.

Pourtant, il ne voulait pas encore admettre l'évidence. Ses hurlements l'avaient épuisé, il s'endormit mais il ne put mesurer le temps de son sommeil. Quand il se réveilla, on jouait aux charades à la télévision. Des cuisinières élec-

triques et des machines à laver récompensaient les ga-
gnantes qui acceptaient leur prix en gloussant de plaisir.

De nouveau il avait soif et se leva pour atteindre le
pichet. Mais celui-ci s'était renversé quand il l'avait jeté
par terre. Il découvrit un tube en caoutchouc relié à
un réservoir, à quelques mètres de lui. Grâce à un dispo-
sitif ingénieux, une ou deux gouttes d'eau s'écoulaient
toutes les minutes. Elles étaient tombées sur la table puisque le pichet n'avait pas été remis à sa place.

Il ne pouvait plus l'atteindre, le pot avait roulé hors
de sa portée. Quand il s'en aperçut, sa soif redoubla et la
panique lui fit perdre tout sang-froid. Il se contorsionna,
étira son corps, ses bras et ne parvint qu'à effleurer le
récipient du bout de ses doigts sans pouvoir le saisir. Au
contraire, il le repoussa.

Il finit par comprendre l'incohérence de ses efforts et se
ressaisit. Il se pencha en avant; la chaîne qui retenait sa
cheville l'empêchait de tomber, il étendit les bras, mais
ne parvint qu'à frôler le récipient. Il haletait à regarder
tomber et se perdre l'eau sur la surface de la table polie.
Il passa la langue sur ses lèvres desséchées mais se retint
de crier.

Il finit par découvrir le moyen de récupérer le pichet :
il enleva sa veste et la jeta en la retenant par la manche.
Elle le recouvrit et il tira l'objet vers lui comme s'il l'eût
capturé avec un filet. Il ne restait plus qu'à le remettre
sur la table et attendre que le pichet s'emplît.

Il s'aperçut qu'au cours de cette opération un papier
était tombé de sa poche, c'était une note tapée à la machine. Voici ce qu'il lut :

« Navré d'avoir été obligé de me sauver, mon vieux,
mais faites comme chez vous jusqu'à mon retour. Je vous
ai donné la meilleure chambre en vous laissant de l'eau et
de la nourriture pour quelque temps. Il est possible que

je sois absent plusieurs jours — peut-être davantage. Arrangez-vous confortablement jusqu'à mon retour — Morton. »

Davis mit plusieurs minutes avant de comprendre la signification de ce texte. Morton serait absent pendant plusieurs jours. Cela voulait-il dire que cette plaisanterie absurde allait se prolonger pendant tout ce temps-là ? Qu'il allait rester enchaîné comme un animal jusqu'au retour de Morton ?

Il recommença à hurler.

Il se fatigua plus vite et conclut que dans la journée, les locataires devaient être à leur travail. Il reprendrait ses appels le soir, au moment où ils rentreraient chez eux. Alors, on l'entendrait. Cette hypothèse lui laissa quelque répit, ce qui lui permit d'évaluer sa situation.

La chaîne ne pouvait être brisée; ce point était acquis — bien qu'il ne renonçât pas à d'autres tentatives. L'eau tombait avec une lenteur hallucinante, mais régulièrement. Sur la table, à portée de sa main, il y avait des baguettes de pain enveloppées dans du parchemin. Il les compta : il y en avait trente.

Alors, une idée terrible fulgura dans son cerveau : du pain, de l'eau... Une baguette de pain par jour. Dieu du ciel ! Est-ce que Morton avait l'intention de le laisser enchaîné pendant trente jours ? Pendant un mois entier ? Au pain sec et à l'eau ? Non, ce n'était pas possible. Morton voulait l'effrayer. Morton allait revenir et le délivrer. Ils prendraient un verre ensemble et riraient ensemble de la plaisanterie. C'était une épreuve à laquelle Morton avait décidé de le soumettre pour juger de son courage et de son endurance...

Cette hypothèse le soutint quelque temps, peut-être une heure. Il n'avait qu'un moyen de mesurer le temps, c'était de regarder la télévision. Il connaissait l'horaire des pro-

grammes. Un nouveau jeu avait succédé au précédent : des
candidates devaient choisir l'une des boîtes rangées devant
elles. Une femme y trouva un trognon de chou et hurla de
dépit. Une autre trouva un chèque de mille dollars et un
bon pour un manteau de fourrure : elle hurla de joie. Une
troisième un chèque de cinq mille dollars : elle s'évanouit.

Davis regarda le pichet en plastique. Un peu d'eau s'y
était accumulée. Assez pour s'humecter la gorge. Il ne
résista pas, l'avala et replaça le pichet avec le plus grand
soin.

Plus tard il essaya de manger quelques bouchées de
pain. Mais sa bouche était sèche et il n'avait pas faim.

Alors il resta assis, sans bouger. L'appareil d'air condi
tionné sifflait, la télévision roucoulait, craquelait, exhor-
tait, l'eau s'égouttait, toujours aussi lentement.

Le soir, les effets du soporifique s'étaient complètement
dissipés. Le sang battait à ses tempes mais il avait la tête
claire. Sa soif était ardente mais il n'y avait guère plus
d'un quart de litre d'eau dans le pichet. Il rompit une
baguette de pain, s'obligea à en avaler deux bouchées, puis
y renonça. Il but d'un trait tout ce qu'il y avait d'eau,
et sa soif ne fut pas apaisée.

Il était sept heures : les actualités passaient sur l'écran.
Il ne prêta aucune attention aux nouvelles. Quand elles
furent terminées, un homme souriant apparut pour vanter
les mérites d'une nouvelle cigarette à double filtre. Les
locataires devaient avoir réintégré leur domicile et il se
mit à hurler :

« Au secours ! au secours ! »

Pendant un quart d'heure, il renouvela son appel toutes
les minutes puis s'allongea sur le divan et attendit.

Personne ne vint. Il n'y avait pour rompre le silence
que l'inepte bavardage de la télévision. Un programme de
western venait de commencer. Il y avait aussi, très lointain,

le murmure assagi de la ville qui filtrait par la lucarne entrebâillée. Il avait compris que la pièce était insonorisée. Des hommes vivaient bien à dix ou quinze mètres au-dessous de lui, mais aucun ne pourrait entendre ses appels.

Il regarda autour de lui dans l'espoir de découvrir un objet assez robuste et assez sonore pour être entendu, Ses chaussures avaient disparu. Il essaya ses poings, mais ils ne produisirent qu'un son étouffé.

Il pensa au divan. S'il parvenait à le démolir, il en utiliserait les morceaux pour frapper le parquet et les murs. Mais il était vissé au sol et il ne put le bouger malgré sa force. Et le matelas était en caoutchouc. Et il n'y avait rien d'autre à portée de sa main.

Mais la table ? Son cœur battit d'espoir. Il pouvait l'atteindre. Il prit le pichet, but les quelques gouttes d'eau et le déposa soigneusement par terre. Ensuite il tenta d'attirer la table. La table aussi était vissée au sol. Une si amère déception l'envahit qu'il eut la bouche pleine de fiel. Il se laissa retomber sur le divan sans penser à remettre le pichet à sa place. Quand il s'en aperçut, il avait perdu une heure.

Il n'avait donc aucun objet qu'il pût utiliser comme outil. La lucarne était trop éloignée et à peine entrouverte; il n'aurait pas pu l'atteindre même s'il avait disposé d'un objet qu'il aurait pu jeter. Ayant fait l'inventaire de la pièce, il devint évident pour Davis que Morton avait pensé à tout.

Alors, la peur prit dans ses sentiments la place de la surprise et de la colère.

Quelles étaient les intentions de Morton ?

Quand Morton reviendrait-il ?

Il essaya d'oublier sa peur en regardant la télévision. Les programmes se succédaient, des gens souriants s'agitaient sur l'écran, des gens propres, bien élevés, même quand ils portaient des costumes de cow-boys et qu'ils échangeaient des coups de feu. Mais Davis aurait été bien incapable, à la fin de l'émission, de dire ce qui venait de se passer.

La télévision à son tour expira. L'écran devint un rectangle blafard. La pièce ne fut plus éclairée que par un tube incandescent et Davis s'endormit. Pendant son sommeil, l'obturateur d'un judas glissa silencieusement ; Morton regarda puis se retira subrepticement.

Davis dormit longtemps et il se réveilla assoiffé et affamé. Sa jambe le faisait souffrir. Il fut quelque temps avant de reprendre conscience de la réalité. Puis la mémoire lui revint et il s'assit.

Rien n'avait changé sinon le niveau d'eau qui avait monté dans le pichet de plastique. Sur l'écran du poste, une femme à la mâchoire proéminente bavardait avec un homme vêtu de tweed qui avait écrit un roman.

Davis tendit la main vers le pichet mais suspendit son geste. Il devait d'abord manger du pain. Cinq ou six morceaux. Puis il n'avala que la moitié de sa ration d'eau : environ un litre par jour, avait-il calculé. Il regarda attentivement le réservoir. Il évalua son contenu à trente litres. Trente litres d'eau... trente baguettes de pain. Trente jours !

Dieu ! cela voulait-il dire que Morton ne reviendrait que dans trente jours ? Ou cela voulait-il dire...

Davis se mit à hurler pendant une demi-heure. Il ne se tut que lorsqu'il n'eut plus de voix.

Personne ne vint. Le soir, il fit de nouveau retentir l'air de ses clameurs. Cette fois encore, personne ne vint.

Personne ne vint non plus le lendemain.

Ni le surlendemain. Ni les jours qui suivirent. Davis dut comprendre que personne ne viendrait jamais dans ce

donjon climatisé qui surmontait un immeuble de grand
luxe où il était enchaîné...

Le petit homme vêtu de gris consulta l'heure à son poi-
gnet puis se leva :

« J'ai un avion à prendre, dit-il. J'espère que je ne vous
ai pas ennuyé.

— Attendez, dis-je. Qu'est-ce qui est arrivé ensuite ? »

Il hocha évasivement la tête :

« Je suis incapable de vous le dire. Je suppose qu'au
bout de trente jours l'eau s'est tarie et la provision de
pain s'est épuisée. Puis... »

Il haussa les épaules.

« Mais... » commençai-je — et je m'arrêtai.

« Personne n'a pénétré dans la pièce depuis deux ans,
dit l'homme en gris, les factures sont réglées sans retard
par un homme d'affaires. Le portier et l'agent de location
reçoivent chaque année leurs étrennes par le même canal.
Ils pensent que Morton est en Europe et qu'il y séjour-
nera plusieurs années. De quoi s'inquiéteraient-ils ? Le
loyer est réglé régulièrement. Bien sûr, un de ces jours, on
finira par pénétrer dans l'appartement. Mais il peut encore
se passer bien des années avant que Morton décide de ne
plus payer son terme. »

Il me regarda du coin de l'œil :

« Il serait intéressant de savoir ce que feront les hommes qui les premiers entreront dans le studio, dit-il en se
dirigeant vers la porte. Je ne pense pas qu'ils puissent
découvrir l'identité de Morton, pas plus que celle de
Davis, d'ailleurs. »

Il me sourit et sortit. Je le suivis stupidement des yeux
puis me précipitai dans la rue pour le rattraper. Mais il
avait disparu parmi la foule.

Je levai les yeux sur les buildings qui m'entouraient.

Dans beaucoup d'immeubles, il y avait des ateliers. C'était une grande ville et on pouvait en deux heures d'avion arriver dans huit autres grandes villes.

Je retournai au bar pour interroger le barman : connaissait-il le petit homme auquel j'avais parlé ? Non, personne ne le connaissait. Un étranger que l'on n'avait jamais vu ici auparavant.

CONGO

de

STUART CLOETE

QUE ceux qui le veulent croient cette histoire qu'il me faut raconter. Mais toi, Retief, tu dois la croire car, si elle tombe entre tes mains, cela voudra dire que sa vie, à elle, est en danger. Et moi qui l'écris, je l'ai vécue depuis son début, d'abord en simple spectateur et puis plongé dans le drame en qualité d'acteur... Il ne s'agit donc pas d'un roman mais d'une partie de mon existence qui ne m'honore ni ne me déshonore mais qui, je le crains, finira par m'engloutir. En vérité, tandis que j'en fais le récit, j'en ignore encore l'issue.

Jeune homme, j'ai été l'élève du fameux Le Grand, de l'Université de Bruxelles. J'ai eu la chance qu'il me choisisse pour l'assister dans ses travaux. Il estimait que nous avions beaucoup de points communs. J'avais, sur la biologie, les mêmes conceptions que lui, mais nous observions les mêmes choses avec des yeux différents. Son esprit était assez vaste pour embrasser le cosmos, le mien n'était qu'assez minutieux pour s'acharner sur des recherches partielles. C'est pour cette raison qu'il m'attacha à son service et qu'il me demanda de l'accompagner au Congo. Nous avions mené à bonne fin des expériences pour les Jardins botaniques royaux et notre expédition était financée par la Société des Recherches scientifiques et l'Aide commerciale des Produits tropicaux. C'est donc dans d'excellentes conditions que nous sommes partis poursuivre nos recherches dans cet abominable pays.

C'était sur le latex, la sève de l'arbre à caoutchouc, que devaient porter nos recherches. A la suite d'expériences réalisées en serres, le professeur Le Grand avait découvert que cette sève possédait d'extraordinaires propriétés revigorantes qui doublaient la croissance des plantes auxquelles on avait injecté le latex. Les membres les plus avancés du corps médical voyaient dans cette découverte une révolution dans la thérapeutique mais, pour Le Grand, cette hypothèse ne serait incontestable que lorsqu'il l'aurait expérimentée en dehors du champ restreint des laboratoires.

Il m'est interdit de désigner avec précision la région où nous nous sommes installés : le secret est de règle dans ces cas. Les événements que je vais rapporter se sont déroulés il y a longtemps, mais les recherches se poursuivent menées pas nos successeurs.

C'était la forêt tropicale dans sa monstrueuse exubérance : des arbres gigantesques dont beaucoup, prétendait Le Grand, étaient plus que millénaires, des fûts si serrés que le soleil n'atteignait jamais leur pied. Il y avait quelques clairières que les indigènes cultivaient de façon primitive, mais ils y faisaient venir des bananes, du millet, du maïs, des papates douces, du potiron, des arachides et diverses variétés de haricots. La terre était fertile et les récoltes abondantes, ce qui ne manquait pas de nous surprendre étant donné les méthodes employées.

Les éléphants, quelquefois, dévastaient les champs de maïs mais c'étaient surtout les gorilles qui faisaient le plus de ravages. On ne se rendait pas compte immédiatement des déprédations car ils étaient si malins et si adroits qu'ils ne volaient que par petites quantités et, qu'à moins de compter les gousses, on ne s'apercevait des dommages qu'au moment de la récolte.

Nous étions trois quand nous sommes partis, car Le Grand s'était marié peu de temps avant notre départ. Elle s'appelait Helena Magrodvata. C'était une jeune fille d'origine russo-grecque, aux cheveux d'un blond si pâle qu'ils paraissaient blancs. Elle savait un peu la sténo et la dactylo et avait travaillé avec Le Grand parce qu'elle était une des rares personnes à pouvoir déchiffrer son écriture. Elle était presque jolie quand elle ne portait pas de lunettes. Je n'ai jamais su ce qui avait décidé le professeur à se marier : si c'était pour lui la seule solution pour obtenir une femme désirée ou s'il voulait tenter une nouvelle expérience. Je n'ai jamais trouvé, dans ses papiers, de note qui confirmât ou infirmât l'une ou l'autre de ces hypothèses et il n'aborda jamais ce sujet avec moi.

Nous habitions un petit bungalow blanchi à la chaux, construit spécialement pour nous recevoir et, un beau jour, Helena accoucha d'un garçon. Tout se passa très bien. Le Grand et moi étions médecins et Helena avait une robuste constitution.

D'ailleurs, en dépit de ce climat pestilentiel, nous étions tous en parfaite santé. Sans doute étions-nous les premiers blancs capables de résister aux myriades d'*Anapholes Maculipennis*, à la malaria, capables de supporter les eaux polluées, fléaux auxquels même les indigènes succombaient. Nous le devions au professeur Le Grand qui avait mis au point un sérum. Quand ce sérum sera dans le commerce, toutes ces régions marécageuses et mortelles deviendront habitables. Je pense que c'est l'une des raisons qui décidèrent Le Grand à choisir le Congo pour expérimenter des sérums sur trois individus de sexe et de nationalité différents.

L'un des trois sérums qu'il nous administrait avait des propriétés toniques particulièrement efficaces : non seule-

ment nous étions bien portants mais, en vérité, nous
éclations de santé.

Le bébé chaque jour prenait du poids ; Helena en était
folle. Maintenant son seul travail consistait à taper un
rapport hebdomadaire — tout son temps, elle le consa-
crait à l'enfant. Quant au professeur, il portait au nouveau-né un intérêt qui semblait être plus professionnel que
paternel mais quand l'enfant mourut, il manifesta une
réelle affliction. Ce jour-là nous étions tous les deux dans
la forêt, pesant le latex, quand un indigène vint nous
annoncer que l'enfant venait d'être mordu par un serpent.
L'enfant était mort quand nous arrivâmes à la maison
et Helena au bord de la folie. Il nous fut impossible de
la laisser seule. Le Grand ne s'en rendit compte que lorsqu'elle tenta de se suicider. L'état d'Helena compliqua
considérablement notre travail. Il fallait que l'un de nous
restât à la maison pour la surveiller et nous sortions à
tour de rôle.

Un mois après ce drame, alors que nous prenions notre
petit déjeuner, on vint nous annoncer qu'un gorille avait
été capturé. Helena était encore couchée ; nous en avons
profité pour nous rendre tous les deux sur les lieux de
la capture : la bête avait été attrapée dans un piège fait
de rondins liés par du fil de fer et des lianes et aménagé
au milieu des plants de maïs qui le masquaient. Les indigènes, silencieux, faisaient cercle autour de la fosse et
contemplaient la bête sanglante. On avait l'impression
qu'ils assistaient plutôt à un rite religieux qu'à un diver-
tissement ; à une sorte d'exorcisme. Le gorille n'est-il pas
le démon dévastateur des plantations ?

Nous nous frayâmes un chemin jusqu'à la fosse : le
gorille hurlait de douleur et de rage. C'était une femelle
et nous nous aperçûmes qu'elle était sur le point de mettre
bas. C'est alors que Le Grand conçut son projet.

« Dépêchez-vous, dit-il, je voudrais avoir le petit vivant et la mère n'a plus longtemps à vivre. »

Une lance en effet lui avait transpercé le poumon droit.

« Allez vite chercher ma trousse et du chloroforme. Il faut mettre fin à cet affreux spectacle. »

Ce fut ainsi que naquit Congo, comme nous devions l'appeler plus tard. Sous les ordres de Le Grand, les indigènes consentirent à enchaîner la prisonnière et quand je revins, la bête était solidement garrottée et grinçait des dents avec fureur. Pénétrer dans une fosse où un gorille-femelle est enchaîné, c'est un exploit que j'ai fait une fois et que je ne recommencerai plus. La force de ces animaux est incroyable, ils peuvent tordre plus facilement la crosse d'un fusil que nous une épingle.

Elle gisait, grimaçante de haine, ses babines retroussées découvrant des canines féroces, les pupilles dilatées par la souffrance sous ses sourcils en broussailles.

Ce regard, je l'avais déjà vu une fois : dans les yeux d'un fou qui avait tué trois personnes. Le même mélange de férocité et de ruse. On devinait qu'elle ramassait ses forces pour un ultime combat : quand nous pénétrâmes dans le piège, les muscles puissants du ventre se tendirent et le lait se mit à couler de ses mamelles. Un instant, je crus qu'elle allait rompre ses liens et dans ce cas il ne lui aurait pas fallu longtemps pour nous réduire en bouillie. Je m'étais cru plus endurci, mais la vue de ce puissant animal enchaîné, souillé de bave et de sang, me bouleversa. En se débattant elle était parvenue à arracher le bras à l'un des indigènes qui était mort sans qu'on ait pu lui porter secours. Mais Le Grand, vêtu d'une blouse blanche, manipulant ses instruments avec une étonnante maîtrise, était aussi calme que s'il avait examiné un bacille au microscope.

Les battements de son cœur n'ont pas dû s'accélérer d'une seconde et pas un instant il n'a dû penser qu'il courait le moindre danger. Ce gigantesque anthropoïde n'était pour lui qu'un problème scientifique.

J'étais loin de partager ces sentiments olympiens : j'étais en plein désarroi et comme si, disposant du don de double vue, j'eusse déjà su que rien de bon ne pouvait sortir de cette aventure inhumaine. Au cours de ma carrière scientifique, j'ai assisté à des expériences étranges, aucune ne peut être comparée à cette césarienne pratiquée au cœur de la jungle congolaise.

Je ne sais plus quelle dose de chloroforme nous avons utilisée. Une bonne quantité, bien sûr, a été renversée, mais il n'en restait pas lourd dans la bouteille quand l'opération a été terminée. Naturellement nous avons abrégé l'agonie de la bête : elle passa du sommeil artificiel à celui de la mort. Le bébé-gorille fut enveloppé et remis à un indigène qui travaillait au semblant d'hôpital que nous avions installé à notre camp. Le professeur relevait les mesures de l'anthropoïde tandis que je procédais rapidement à la dissection. C'est alors que nous avons vu surgir Helena, le bébé-gorille accroché à sa poitrine.

J'imaginai facilement ce qui avait dû se passer : elle s'était levée, nous avait cherchés et était tombée sur l'indigène portant le bébé-singe dont le visage fripé ressemblait singulièrement à celui d'un bébé d'homme. Elle avait arraché le nouveau-né des bras de Salomon — ainsi se nommait l'indigène qui, déjà, avait été chargé de s'occuper de son fils — et par association d'idées avait transféré sur cette fragile créature la tendresse maternelle dont elle venait d'être frustrée. Le petit gorille s'agrippait à elle de toutes ses forces. Dès que je la vis, je compris que son cœur l'avait adopté.

« Regardez, dis-je au professeur qui se redressait.

— Ainsi, fit-il, elle l'a accepté. »

J'ignorerai toujours quelle avait été l'idée de mon maître quand il avait entrepris cette opération.

Et Helena, était-elle consciente ? Mais que savions-nous d'Helena ? Avec sa double origine et ce sang imprégné de sérums expérimentaux ? Le Grand devait penser que c'était un problème dont on chercherait la solution plus tard.

« Ramenez-la à la maison, me dit-il, et envoyez-moi des éprouvettes et de l'alcool. »

Lorsqu'il rentra, le soleil se couchait et Helena n'avait prononcé qu'une seule phrase :

« Il est à moi. »

L'année suivante, nous revînmes à Bruxelles. Nous étions quatre au lieu de trois car, pour Helena, ce n'était pas un gorille qu'elle emmenait avec elle, c'était *son* enfant. Le professeur dut user de toute son influence auprès de la Compagnie de Navigation pour obtenir une cabine qu'elle pourrait partager avec ce singulier passager. Le jeune gorille hurlait dès qu'elle faisait mine de le quitter.

Helena l'appelait « baby ». Le professeur aussi, de temps en temps. Moi, j'évitais le plus possible d'en parler. J'aurais supporté qu'elle le traite comme un animal familier, mais il dormait dans son lit tandis que Le Grand et moi partagions la même cabine. Helena devait alors avoir vingt ans. Je ne dirai rien des huit années qui suivirent, il est des sujets sur lesquels on préfère ne pas s'étendre.

Je ne dirai rien non plus de notre vie commune avec cette « chose » qui avait maintenant près de neuf ans. Mais je ne vous ai jamais dit qu'Helena était belle, que le professeur n'était plus jeune et, en général, fort distrait. Et moi, je ne suis pas constitué autrement que les autres hommes. Quant au gorille, il nous détestait égale-

ment, le professeur et moi, et il était déjà beaucoup plus
fort que nous...

Helena l'habillait comme un garçon de son âge : d'un
costume marin avec des chaussettes et des chaussures ; il
mangeait à table avec nous et son visage était fripé comme
celui d'un vieillard. Il continuait de coucher dans la
chambre d'Helena et le professeur dormait dans son
bureau. Son lit était en cuivre, avec draps et couvertures,
et occupait un coin de la pièce, ce qu'on n'aurait pas
toléré d'un enfant. Helena, avec l'illogisme des femmes,
le traitait à la fois comme un être humain et comme un
chien. Mais Congo n'était pas un chien. Il éprouvait les
amours et les haines d'un homme primitif car, si héré-
ditairement c'était un singe anthropoïde, par son édu-
cation il avait atteint le niveau mental de l'homme de
Néandertal. Et il était amoureux d'Helena.

Je n'emploie pas inconsidérément le mot « amoureux ».
Ses sentiments n'avaient rien de filiaux. Une nourriture
trop riche en protéines l'avait rendu précoce. Bien que son
comportement avec Helena ressemblât à celui d'un enfant
affectueux — il s'accrochait à sa main, à ses jupes, grim-
pait sur ses genoux, mettait ses bras autour de son cou et
l'embrassait sur la bouche — le désir se lisait dans ses
yeux quand il croyait qu'on ne le regardait pas. Il exer-
çait ses forces à notre insu. Il ne brisait plus les objets
— il avait dépassé ce stade infantile — mais je l'ai surpris
un jour portant une malle à bout de bras, sans le moindre effort : elle pesait 75 kilos. A cette époque il avait
1 mètre 40 de tour de poitrine, mesurait 1 mètre 50 et
pesait 85 kilos. Depuis, il est devenu beaucoup plus fort.

On a dit d'abord que c'était un accident puis on a
voulu m'impliquer dans l'affaire. Le mobile était facile à
trouver : la jalousie. Jaloux de sa femme, jaloux de la

position qu'occupait mon maître dans le monde scientifique — c'est ce qu'on prétendit. Par chance, le jour de
l'*accident*, je m'étais absenté pour faire une conférence —
sinon, rien n'aurait pu me sauver : il m'avait fait son
exécuteur testamentaire et me léguait ses livres et ses
manuscrits. Or, non seulement je perdais mon plus cher
ami mais j'ai risqué d'être accusé de meurtre.

Rien ne s'opposait plus à ce que j'épouse Helena. Quel
homme normalement constitué aurait pu vivre auprès
d'une femme jeune et belle — et dans d'aussi étranges
circonstances — sans être amoureux ? Helena, de plus, ne
pouvait se passer de moi, même quand Le Grand était
encore en vie et bien davantage après sa mort. Je la pro-
tégeais contre le monde extérieur — elle, et Congo. Car
elle était toujours aussi folle de cet odieux animal, rien
ne pouvait l'en déprendre, pas même l'amour qu'elle avait
pour moi.

Le Grand était inexplicablement tombé par la fenêtre.
L'appartement que nous partagions était au cinquième
étage. Il tenait encore un pot à eau à la main. Je l'imagine fort bien grattant du bout du doigt le terreau du
bac à fleurs avant de l'arroser. Il avait vieilli brusquement. Il n'a pas dû entendre Congo pénétrer dans la
pièce — il pouvait marcher avec la légèreté d'un chat et
le sol est recouvert de moquette. Oui, j'imagine la scène
comme si j'y avais assisté : les deux mains du monstre qui
s'abattent sur son maître, son cri et le bruit du corps qui
s'écrase...

Et je suis sûr qu'Helena connaît aussi bien que moi le
meurtrier de son mari — mais jamais nous n'avons eu le
courage d'en parler. Et je sais qu'aujourd'hui, elle tremble
pour moi. Jamais elle ne me laisse seul avec le singe.
J'ai pensé à l'empoisonner avec de l'arsenic mais Helena
le saurait car elle a suffisamment de connaissances médi-

cales — et elle me considérerait comme un assassin — l'assassin de son fils. Je vais employer l'albumine : cinq centimètres cubes suffiront.

C'est un jeu dangereux ; peut-être le facteur temps jouera-t-il en ma faveur. En attendant, je suis toujours armé sous prétexte que je circule la nuit dans certains quartiers peu sûrs. Helena dit :

« Ce revolver est gênant dans tes poches. Il déforme ton costume. Pourquoi le gardes-tu toujours sur toi ? »

C'est un browning 32. Je ne sais même pas si les balles pourraient stopper l'agresseur. Pourtant, ça me rassure, momentanément. Mais aujourd'hui j'ai l'impression que mon anxiété se précise, bien que je ne puisse définir ce qui me menace. C'est pourquoi j'ai abandonné mes travaux pour écrire ce récit. Il faut que quelqu'un sache.

L'ARGENT DU SORCIER

de

JOHN COLLIER

FOIRAL portait une cargaison de liège et descendait la grand-route où l'avait déposé le car de Perpignan. Il regagnait son village, marchait doucement aux côtés de sa mule, ne pensant à rien. Soudain, il fut dépassé par un fou demi-nu qui avançait à grandes enjambées. C'était un type d'homme qu'on n'avait jamais rencontré dans ce coin des Pyrénées-Orientales.

Il n'était pas du genre idiot à grosse tête, comme il y en avait deux ou trois au village. Ce n'était pas un être maigre, décharné, comme l'était devenu le père de Barilles après l'incendie de sa maison. Ce n'était pas non plus un être à la tête petite, fragile, rétrécie, comme le cadet des Lloube. En somme, il appartenait à une nouvelle espèce.

Foiral conclut qu'il était du genre « fou explosif », bruyant et tapageur, aussi dangereux que le soleil. Sa peau couleur de feu jaillissait hors de ses vêtements en lambeaux multicolores, des bras rouges, des genoux rouges, un cou rouge et un large visage tout rond et tout rouge, qui éclatait en sourires, en paroles et en rires.

Foiral le rattrapa en haut de la côte. Il regardait fixement le creux de la vallée tel un homme foudroyé.

« Mon Dieu, dit-il à Foiral, regardez ça. »

Foiral regarda et ne vit rien.

Le fou continua :

« Voilà des jours et des semaines que je monte et des-
cends ces fichues Pyrénées, traversant des prairies, des forêts
de bouleaux et de pins, longeant des cascades, et le tout
aussi vert qu'un plat de haricots verts[1]. Et je découvre
enfin ce que je cherche depuis tout ce temps-là. Pourquoi
ne me l'avait-on pas dit ? »

Quelle satanée question ! De toute façon, les fous se
répondent à eux-mêmes, Foiral frappa sa mule et se mit
à descendre le chemin. Mais le fou lui emboîta le pas.

« Qu'est-ce que c'est donc, pour l'amour du Ciel ? dit-il.
Un morceau d'Espagne à cheval sur la frontière, ou quoi ?
C'est peut-être bien un cratère sur la lune. Et il n'y a
pas d'eau, je suppose ? Dieu du ciel, regardez un peu cette
ceinture de montagnes rouges ! Et ce pays rose et jaune !
Est-ce que ce sont des villages en bas ? Ou bien des ossements de créatures mortes ? Ça me plaît, continua-t-il.
J'aime ces figuiers qui jaillissent du rocher. J'aime ces
graines qui jaillissent des figues. Avez-vous déjà entendu
parler du surréalisme ? Ça, c'est le surréalisme vivant. Et
ça, qu'est-ce que c'est ? Des forêts de chênes-lièges ? On
dirait des ogres pétrifiés. Mais ce sont de bien braves ogres
qui se laissent saigner par des mortels sans vergogne. Avec
mon petit pinceau, sur ma petite toile, je vais vous restituer une partie importante de votre existence ! »

Foiral, qui était loin d'être dévot, prit cependant la
précaution raisonnable de se signer. Le gars continua sans
s'arrêter pendant deux ou trois kilomètres. Foiral répon-
dait, en grognant, par des « oui » et des « non ».

« Ça, c'est *un* pays pour *moi*, hurlait le fou. Il est *fait*
pour moi. Heureusement que je ne suis pas allé au Maroc !
C'est votre village ? Merveilleux ! Regardez-moi ces maisons... à trois... quatre étages. Pourquoi ont-elles l'air

1. En français dans le texte (N. d. T.)

d'avoir été entassées par des troglodytes ?... Des troglodytes
qui n'auraient pas trouvé de falaise ! A moins que ce ne
soit des grottes dont les falaises se sont écroulées, les laissant toutes nues dans le soleil, serrées les unes contre les
autres ? Pourquoi n'avez-vous pas de fenêtres ? J'aime ce
beffroi jaune. Un peu espagnol. J'aime la façon dont la
cloche est suspendue dans sa cage de fer. Noire comme
votre chapeau. Morte. C'est peut-être pour ça que tout est
si tranquille ici. Une cloche morte, suspendue à la potence
contre le bleu du ciel. Ah ! Ah ! Ça ne vous amuse pas,
hein ? Le surréalisme, vous vous en fichez. Tant pis pour
vous, mon ami, car, en somme, ce sont des gars comme
vous qui ont fait naître le surréalisme. J'aime ces vêtements noirs que vous portez tous ici. Encore d'inspiration
espagnole, je pense ? Quand on vous regarde, vous ressem-
blez à des trous dans la lumière.

— Au revoir, dit Foiral.

— Attendez, répondit l'étranger, où puis-je me loger
dans ce village ? Y a-t-il une auberge ?

— Non, dit Foiral, en entrant dans sa cour.

— Bon sang ! dit l'étranger, j'espère que quelqu'un
pourra me donner une chambre.

— Non. »

Le gars fut un peu décontenancé.

« Bon, dit-il enfin, je vais quand même jeter un coup
d'œil. »

Il s'engagea dans la rue. Foiral le vit parler à Mme Arago qui hochait la tête. Puis il le vit essayer d'engager la
conversation avec le boulanger qui, lui aussi, hocha la
tête. Il lui acheta quand même une miche de pain et, chez
Barilles, il prit du fromage et du vin. Il s'assit sur un banc
et se mit à manger. Puis il monta la côte à petits pas.

Foiral jugea préférable de le surveiller. C'est pourquoi
il grimpa jusqu'au haut du village d'où l'on découvrait

les pentes des collines. Le gars était en train de musarder :
il ne cueillait rien, ne faisait rien. Puis, il se traîna vers
la petite ferme où se trouvait le puits à quelques centaines
de mètres des maisons.

Cette maison appartenait justement à Foiral, sa femme
en avait hérité. S'ils avaient eu un fils, ça lui aurait parfaitement convenu. Foiral le suivit, pas trop vite, bien sûr,
mais pas trop lentement non plus. Naturellement, lorsqu'il
arriva, le gars était en train de regarder à travers les fentes
des volets. Il avait même tenté d'ouvrir la porte. Certainement, il avait une idée derrière la tête.

Au moment où Foiral survint, il jetait un coup d'œil
autour de lui.

« Personne n'habite ici ? demanda-t-il.

— Non, répondit Foiral.

— A qui appartient cette ferme ? »

Foiral ne sut que répondre, bien obligé, enfin, de reconnaître que c'était à lui.

« Voudriez-vous me la louer ? dit l'étranger.

— Qu'est-ce que ça veut dire ? interrogea Foiral.

— Je la voudrais pendant six mois, dit l'étranger.

— Pour quoi faire ?

— Imbécile, pour l'habiter, naturellement !

— Pourquoi ? »

L'étranger leva la main et tendit son pouce, puis il dit
très lentement :

« Je suis un artiste, un peintre.

— Oui », fit Foiral.

L'étranger tendit son index :

« Ici, je pourrais travailler. J'aime la maison. J'aime la
vue. J'aime les deux chênes verts.

— Très bien. »

L'étranger tendit son médius :

« Je veux rester ici six mois.

— Oui. »

L'étranger tendit son annulaire :

« Oui, dans cette maison qui, sur cette terre jaune, ressemble d'une façon captivante à un dé perdu au milieu du désert. A moins qu'elle ne ressemble plutôt à un crâne !

— Ah ! »

L'étranger tendit son petit doigt et dit :

« Combien... combien... demanderez-vous pour me laisser... vivre et travailler... dans cette maison... pendant six mois ?

— Pourquoi ? »

A cette question, l'étranger se mit à arpenter la cour dans tous les sens. Ils se disputèrent un peu. Foiral mit fin à la discussion en lui répondant que les gens ne louaient pas les maisons dans ce pays, chacun ayant la sienne.

L'étranger, en grinçant des dents, lui expliqua :

« Il faut que je peigne ici.

— Raison de plus pour que je ne vous la loue pas. »

L'étranger émit un certain nombre de mots indistincts dans un langage étranger et bizarre qui était peut-être celui que l'on parle en enfer.

« Je vois votre âme, dit-il enfin, et je la vois comme une petite bille noire, suprêmement inutile, roulant dans un désert de blanches fumées. »

Foiral, tenant ses deux doigts du milieu sous son pouce, pointa l'index et le petit doigt dans la direction de l'étranger, indifférent à l'offense.

« Combien demandez-vous de cette cabane ? Je vais peut-être vous l'acheter. »

Foiral fut bien soulagé en découvrant qu'après tout il avait affaire à un simple fou. Il n'avait même pas une paire de pantalons convenables sur les fesses et il proposait d'acheter cette maison en parfait état dont Foiral aurait demandé 20 000 francs si par chance quelqu'un s'était porté acquéreur.

« Allons, dit l'étranger, combien ? »

Foiral se dit qu'il avait perdu assez de temps mais répondit, pour faire durer le plaisir :

« 40 000.

— Je vous en donne 35. »

Foiral rit de bon cœur.

« Que voilà un bon rire. J'aimerais peindre un rire pareil. Je le traduirais par un mélange[1] de racines de dents fraîchement arrachées. Alors, où en est-on ? 35 ? Je peux vous verser une avance tout de suite. »

Et, sortant son portefeuille, ce Crésus des fous froissa un, deux, trois, quatre, cinq billets de mille francs sous le nez de Foiral.

« Maintenant, me voilà complètement fauché, dit-il. Mais j'espère que je pourrai la revendre.

— Si Dieu le veut.

— En tous les cas, je pourrai toujours y venir de temps en temps. Mon Dieu ! En six mois ici, je vais pouvoir peindre assez de toiles pour faire une exposition. Ils en seront fous à New York. Puis je reviendrai et j'en préparerai une autre. »

Foiral, fou de joie, n'essaya plus de comprendre. Il se mit à chanter furieusement les louanges de sa maison. Il entraîna l'homme à l'intérieur, lui montra le four, toqua contre les murs, lui fit admirer la cheminée, le mena dans l'appentis et jusqu'au puits.

« Très bien, très bien, dit l'étranger. C'est magnifique, tout est magnifique. Passez les murs à la chaux, trouvez-moi une femme pour faire le ménage et la cuisine. Je retourne à Perpignan et je serai de retour dans une

---

1. En français dans le texte (N. d. T.)

semaine avec mes affaires. Ecoutez-bien : je veux qu'on mette une table, deux ou trois chaises et un lit. Le reste, je m'en occuperai. Voilà votre acompte.

— Non, non, tout doit être fait en règle, devant témoins. Puis, quand le notaire viendra, il fera les papiers. Venez avec moi. Je vais appeler Arago, c'est un homme très honnête; Guis, qui est très honnête; Vigné, honnête et franc comme l'or. Je vais sortir une bouteille de vieux vin, ça ne vous coûtera rien.

— Bon », dit le fou béni que Dieu lui avait envoyé.

Ils s'en allèrent. Arago, Guis et Vigné arrivèrent, l'honnêteté peinte sur leurs visages. L'acompte fut versé. La bouteille de vin fut ouverte. L'étranger en redemanda. D'autres gens s'entassèrent dans la maison. Ceux qu'on ne laissait pas entrer, demeurèrent dehors à écouter les rires. On aurait cru que c'était un mariage, ou une orgie. La vieille femme de Foiral apparaissait de temps en temps sur le seuil pour qu'on la voie.

Sans aucun doute, ce fou avait quelque chose de magnifique. Le lendemain, après son départ, tout le monde parlait de lui.

« Quand on l'écoute, dit le petit Guis, c'est comme si l'on se soûlait sans dépenser un sou. On croit qu'on comprend tout. On a l'impression de voler dans les airs. On ne peut pas s'empêcher d'éclater de rire.

— Moi, dit Arago, je ne sais pas pourquoi je me suis cru riche. Non pas comme si j'avais de l'argent caché dans la cheminée mais comme si... je pouvais le dépenser. Et dépenser tout.

— Je l'aime bien, dit le petit Guis. C'est mon ami.

— Te voilà qui parles comme un fou, dit Foiral. Lui, il est fou. Et c'est moi qui ai fait affaire avec lui.

— Au fond, il n'est peut-être pas si fou que ça, c'est ce que j'ai pensé quand il a dit que la maison ressemblait

plutôt à un vieux crâne qui surgissait du sol, dit Guis
regardant autour de lui du haut de sa petite taille.

— Il n'est peut-être pas menteur non plus, hein ? dit
Foiral. Rappelle-toi qu'il a dit aussi que la maison ressemblait à un dé perdu au milieu du désert. Comment est-ce
qu'elle pourrait ressembler à la fois à un crâne et à un dé ?

— Il a dit d'abord, qu'il venait de Paris, fit Arago, et
après qu'il était américain.

— Oh ! c'est sûr : c'est un fichu menteur, dit Quès.
Peut-être un des plus grands coquins du monde, qui se
promènent sur la terre ! Mais, heureusement pour lui, il
est fou.

— Et pourtant il achète une maison, dit Lafago. S'il
avait été malin, cette maison, il l'aurait prise, tout simplement. Vous pensez, un menteur de son espèce ! Mais, au
lieu de ça, il l'achète 35 000 francs.

— La folie vous retourne un homme comme un gant,
dit Arago. Et si, en plus, il est riche...

— ...Oh ! l'argent ne sait pas où il va », répondit Guis.

Rien ne pouvait leur faire plus plaisir. Ils attendirent
impatiemment le retour de l'étranger. Foiral blanchit la
maison à la chaux, ramona les cheminées, remit tout en
état. Soyez sûr qu'il chercha partout ce que le père de
sa femme aurait pu y avoir caché autrefois et dont le gars
aurait eu vent. On dit qu'ils sont à l'affût de tout, à
Paris !

L'étranger revint et il fallut toute une journée pour
que les mules transportent du car ce qu'il avait apporté.
Dans la soirée, ils étaient tous dans la maison, ceux qui
servaient de témoins, ceux qui avaient aidé, etc. Il ne
restait plus qu'à payer le reliquat.

Foiral aborda le sujet avec la plus grande délicatesse
du monde. L'étranger, tout sourires et plein de bonne
volonté, entra dans la pièce où ses bagages étaient empilés,

et réapparut tenant à la main une sorte de carnet, rempli de petits billets[1], semblables aux billets de loterie que l'on vend à Perpignan. Il arracha celui du dessus.

« Voilà, dit-il à Foiral en le lui tendant. Voilà les 30 000 francs complémentaires.

— Non, dit Foiral.

— Bon Dieu, qu'est-ce qu'il y a encore ?

— Je connais ce coup-là, dit Foiral. Et c'était pas pour 30 000 francs, mon ami, mais pour 30 millions. Et après, on vous dit que vous n'avez pas gagné. J'aime mieux l'argent.

— Mais c'est de l'argent, dit l'étranger. C'est comme des billets de banque. Vous présentez ça et on vous donnera 30 000 francs en billets, comme ceux que je vous ai donnés l'autre fois. »

Foiral ne savait plus où il en était. C'est assez l'habitude à la campagne de régler les ventes en fin de mois. Naturellement, il ne voulait pas courir le risque de rater l'affaire. Il empocha donc le morceau de papier, dit bonsoir au gars et regagna le village avec les autres.

L'étranger s'installa. Bientôt il connut tout le monde. Foiral, un peu mal à l'aise, lui faisait passer une sorte de contre-interrogatoire chaque fois qu'ils parlaient ensemble. En fin de compte, il apparut qu'il *venait* de Paris, où il avait vécu, et qu'il *était* américain, étant né aux U.S.A.

« Alors vous ne connaissez personne dans notre pays ? demanda Foiral.

— Personne du tout. »

Bien ! Foiral espérait que l'argent était bel et bon. Et qui sait, cet argent ferait peut-être des petits ? L'étranger ne connaissait personne, voilà ce qu'il ne fallait pas oublier. Foiral rangea soigneusement cette idée dans sa tête. Une

1. En français dans le texte (N. d. T.)

nuit où il ne dormirait pas, il verrait le parti qu'il pourrait en tirer.

A la fin du mois, il sortit son morceau de papier et se
dirigea de nouveau vers la maison. Il y trouva le gars aux
trois quarts nu, assis sous un chêne, peignant sur une
petite toile. Et devinez ce qu'il peignait ? Les oliviers
galeux de Roustand qui, de mémoire d'homme, n'avaient
jamais donné de fruits !

« Qu'est-ce que vous voulez ? demanda le fou. Je suis
occupé.

— Ça, répondit Foiral, en lui tendant le morceau de
papier. J'ai besoin de cet argent.

— Pourquoi diable n'allez-vous pas le chercher cet argent au lieu de venir m'embêter ? »

Foiral ne l'avait jamais vu d'aussi mauvaise humeur.
Mais les plus rieurs rient jaune quand il s'agit d'argent.

« Ecoutez, dit Foiral, c'est très sérieux.

— Ecoutez, répliqua l'étranger, ça, ça s'appelle un chèque. Je vous l'ai donné. Vous le portez à la banque et
la banque vous donne l'argent.

— Quelle banque ?

— Votre banque. N'importe quelle banque. Une banque
de Perpignan. Allez-y. Ils s'occuperont de vous. »

Foiral, soupirant toujours après son argent, lui fit remarquer qu'il était très pauvre, qu'il fallait tout un jour pour
aller à Perpignan, et que cela représentait beaucoup d'embarras pour un homme aussi pauvre que lui.

« Ecoutez, dit l'étranger, vous savez fichtrement bien
que vous avez fait une bonne affaire. Laissez-moi travailler. Partez avec votre chèque pour Perpignan. Ça en
vaut la peine. Je vous ai payé assez cher. »

Foiral comprit alors que Guis avait eu la langue trop
longue pour le prix de la maison. « Parfait, mon petit
Guis, se dit-il, j'aurai le temps d'y réfléchir à la saison des

pluies. » Toutefois, comme il n'y avait rien d'autre à faire, il mit son costume noir, enfourcha sa mule jusqu'à Estagel et, là, prit le car qui le mena à Perpignan.

Perpignan est une drôle de ville, peuplée d'énergumènes qui vous poussent, qui vous dévisagent en ricanant. Quand un homme se rend là-bas pour affaire — disons dans une banque — et qu'il se tient immobile sur le trottoir en face de la banque pour bien la regarder, il se fait bourrer les côtes plus de douze fois en cinq minutes, et il a bien de la chance s'il s'en tire sain et sauf.

Finalement, Foiral parvint à entrer dans la banque. Le spectacle était formidable : d'énormes balustrades de cuivre, des bois vernis, une pendule aussi grosse que dans une église, des petits employés vêtus de lustrine, assis au milieu de monceaux d'argent, comme des souris dans un fromage.

Il était debout dans le fond du hall depuis près d'une demi-heure et personne n'avait encore fait attention à lui. A la fin, un des petits employés vêtus de lustrine lui fit signe d'approcher vers le guichet. Foiral plongea la main dans sa poche et en sortit le chèque. Le veston de lustrine regarda le chèque comme si ce n'était rien du tout. « Sainte Mère ! » se dit Foiral.

« Je voudrais l'argent, demanda-t-il.

— Etes-vous un client de la banque ?

— Non.

— Voulez-vous le devenir ?

— Me donnerez-vous l'argent ?

— Mais naturellement. Signez ceci, signez ceci. Signez au dos du chèque. Prenez ça. Signez ici. Merci. Au revoir.

— Mais les 30 000 francs ? cria Foiral.

— Pour les toucher, cher monsieur, il faut d'abord que nous nous assurions que le chèque est provisionné. Revenez dans une semaine environ. »

Foiral, tout étourdi, rentra chez lui. Ce fut une mauvaise semaine. Pendant la journée, il était à peu près sûr
de toucher l'argent mais la nuit, dès qu'il fermait les
yeux, il se voyait pénétrer dans la banque, et entendre tous
les vestons de lustrine jurer qu'ils ne l'avaient jamais vu
auparavant. Il survécut quand même et, au jour dit, il
se présenta de nouveau à la banque.

« Voulez-vous un carnet de chèques ?

— Non, je ne veux que l'argent. L'argent.

— Tout l'argent ? Vous voulez liquider votre compte ?
Bien, bien. Signez ici. Signez là. Voilà. 29 890 francs.

— Mais, monsieur, c'était 30 000.

— Mais, cher monsieur, il y a les frais. »

Foiral s'aperçut qu'il était inutile de discuter. Il sortit,
l'argent en poche. D'accord, il l'avait touché, mais il manquait encore 110 francs et ça, ça vous reste dans la gorge.

Dès qu'il arriva chez lui, Foiral alla interroger l'étranger.

« Je suis un pauvre homme, commença-t-il.

— Moi aussi, dit l'étranger. Et beaucoup trop pauvre
pour vous donner un supplément sous le prétexte que les
chèques ne sont pas encaissés ici comme dans un pays
civilisé. »

C'était un mensonge particulièrement odieux. Foiral
avait vu de ses propres yeux une liasse entière de ces
extraordinaires billets de 30 000 francs dans le petit carnet
d'où l'étranger avait arraché le sien. Mais encore une
fois, on ne pouvait rien faire. Un homme honnête est
toujours bafoué et battu. Foiral rentra chez lui et rangea
ses vingt-neuf billets de mille tout chiffonnés dans la petite
boîte derrière le manteau de la cheminée. Tout aurait été
différent si ç'avait été 30 000 tout ronds ! Quelle sanglante
injustice !

Voilà de quoi méditer pendant les longues soirées. Foiral
y pensa beaucoup. En fin de compte, il décida qu'il était

impossible d'agir seul. Il fit venir Arago, Quès, Lafago, Vigné, Barilles. Pas Guis. C'était Guis qui, en voulant faire le malin, avait dit au gars qu'il avait acheté la maison trop cher. Il ne fallait donc pas qu'il s'en mêle.

Aux autres, il expliqua toute l'histoire très clairement.

« Il ne connaît personne dans tout le pays. Et dans son carnet, mes chers amis — vous l'avez vu de vos yeux — il y a dix, douze, quinze, peut-être vingt de ces extraordinaires petits billets [1].

— Et si quelqu'un vient le chercher ? Quelqu'un d'Amérique ?

— On dira qu'il est parti, comme il est venu, à pied. Tout peut arriver à un fou, toujours par monts et par vaux, gaspillant son argent.

— C'est bien vrai. Tout peut arriver.

— Mais il faut que ça arrive avant le notaire.

— C'est bien vrai. Le curé ne l'a encore jamais vu.

— Il faut qu'il y ait une justice, mes bons amis. Sans justice, pas de société. Ce n'est pas possible qu'un homme, un honnête homme, soit volé de 110 francs.

— Non, ça, c'est intolérable. »

La nuit suivante, ces hommes si honnêtes quittèrent leurs maisons, dont les murs passés à la chaux projetaient sous la lune une ombre plus épaisse que sous le soleil, ces maisons qui ressemblaient à un amas d'ossements blanchis gisant dans le désert. Sans échanger un mot, ils montèrent la colline et frappèrent à la porte de l'étranger.

Au bout de quelques instants, ils repartirent, toujours sans échanger une parole, et pénétrèrent silencieusement, un par un, sous leurs sombres portails. Ce fut tout.

Pendant toute une semaine, aucun changement notable ne se produisit au village, sinon que les silences et les

1. En français dans le texte (N. d. T.)

ombres furent encore plus profonds. Dans chaque logis sombre, était assis un homme qui détenait deux de ces intéressants *billets*[1], qui valaient bien sûr 30 000 francs. Cette petite fortune faisait briller les yeux et donnait plus de prix à la solitude. Comme l'aurait dit l'artiste, cela permettait à un homme de ressembler à la tarentule de l'entomologiste Fabre, connue pour demeurer immobile et aux aguets, à l'entrée de son tunnel. Mais il leur devenait de plus en plus difficile de se rappeler l'existence de l'artiste. Ses jacassements, ses rires, et même son dernier glapissement n'avaient laissé aucun souvenir dans leur esprit. Il n'en restait rien, pas plus qu'il ne restait quelque chose du grondement et des éclairs de l'orage de la veille.

En dehors du matin et du soir, où ils accomplissaient leurs travaux habituels, ils demeuraient assis, solitaires, chacun dans sa maison. Leurs femmes osaient à peine leur adresser la parole, et ils étaient trop riches pour s'adresser la parole les uns aux autres. Guis découvrit tout, ce qui le rendit furieux. Mais sa femme le traitait avec un tel mépris toute la journée qu'il n'avait plus le courage d'adresser des reproches à ses voisins.

A la fin de la semaine, Barilles, surgissant sur le pas de sa porte, reprit pied dans la vie courante. Ses pouces étaient passés sous la ceinture de son pantalon et son visage empourpré avait perdu la couleur du plomb. Son attitude révélait une décision impitoyable.

Il traversa la rue pour se rendre chez Arago, frappa, s'appuya contre un des montants de la porte. Arago apparut et s'appuya contre l'autre. Pendant un très court instant, ils parlèrent de tout et de rien. Puis, Barilles, en jetant son mégot, fit une remarque insidieuse à propos d'une petite enclave qui appartenait à Arago et où il y

---

1. En français dans le texte (N. d. T.)

avait une cabane, quelques vignes et de nombreux oliviers.

« C'est vraiment terrible, dit Barilles, de voir comme les vers se mettent dans les oliviers de nos jours. Une oliveraie pareille aurait jadis représenté pas mal d'argent.

— C'est encore plus terrible que ça, répondit Arago. Crois-moi si tu veux, mon bon ami, mais je te le dis : en quelques années, ça ne m'a pas rapporté plus de 3 000 francs. »

Barilles émit un grognement qui, dans ce village, est considéré comme un rire.

« Oh ! excuse-moi, dit-il, je croyais que tu avais dit 3 000 francs. 3 000... 300... plutôt. Probablement, une bonne année, ça peut te rapporter ça. »

Cette conversation se poursuivit sur un ton tantôt civil, tantôt sarcastique, tantôt furieux, tantôt découragé pour se terminer enfin par une cordiale poignée de main et l'achat par Barilles du terrain pour 25 000 francs. On appela les témoins. Barilles tendit l'un des ses *billets*[1] et reçut 5 000 francs en argent liquide qu'Arago sortit de la boîte cachée dans la cheminée. Tous étaient ravis de cette vente. Chacun se rendait compte que le village commençait à bouger.

Et ça bougeait, en effet. Avant que le groupe ne se séparât, de nouveaux *pourparlers*[2] étaient en cours : Vigné allait vendre ses mules à Quès pour 800 francs; Lloube, son exploitation de liège à Foiral pour 15 000 francs; Roustapol allait marier sa fille au frère de Vigné, en lui donnant une dot de 20 000 francs. Et on conclut en outre, après de nombreux marchandages, la vente des objets en cuivre appartenant à Mme Arago pour 65 francs.

Seul le pauvre Guis ne fut pas mêlé à ces transactions. Mais, sur le chemin du retour, Lloube, la panse pleine de

1. En français dans le texte (N. d. T.)
2. En français dans le texte (N. d. T.)

vin, s'aventura à pénétrer chez le paria. Il dévisagea Philo-
mène, la femme de Guis, des pieds à la tête, trois fois de
suite. Un vague intérêt, mal dissimulé, adoucissait l'expression amère et maussade du visage de Guis.

Ce n'était que le commencement. Rapidement, les biens
changèrent de mains, les prix montant à une allure de
plus en plus rapide. C'était le « boom », comme à la
bourse. On sortait constamment l'argent caché sous les
dalles, sous les matelas en balles d'avoine, dans les creux
des poutres et dans les trous des murs. En libérant ces
fonds gelés, le village fleurit comme une orchidée engen-
drée par un bâton sec. Chaque nouvelle affaire faisait
couler le vin à flots. De vieux ennemis se serraient la
main. De vieilles filles aux cheveux gris se jetaient au cou
de jouvenceaux. De riches veufs épousaient de très jeunes
filles. Parmi les moins courageux se trouvait Lloube qui
passait toutes ses soirées chez Guis. Celui-ci plus du tout
maussade faisait chaque soir le tour du village, marchan-
dant une paire de harnais chez Lafago, un fusil de qualité
chez Roustand. On parlait à voix basse d'une grande
« fiesta » qui aurait lieu après les vendanges, mais de
bouche à oreille, de crainte que le curé ne l'apprît au
cours d'une de ses visites.

Foiral, toujours à la hauteur de sa réputation de chef,
fit une proposition renversante. Il ne s'agissait rien de
moins que de moderniser le chemin muletier jusqu'à la
grand-route qui passait sur la colline pour que les ca-
mions puissent venir au village. On lui objecta que ces
travaux coûteraient très cher.

« Oui, dit Foiral, mais nous en assumerons les frais.
Nous vendrons nos produits moitié plus cher. »

La proposition fut adoptée. Les jeunes garçons du village
profitaient aussi de cette prospérité. Barilles avait baptisé
son bistrot « Grand Café Glacier de l'Univers et des

Pyrénées [1]. » La veuve Loyau louait des chambres avec pension, habillait quelques jeunes dames célibataires et donnait certains soirs des réceptions élégantes.

Barilles se rendit à Perpignan et revint avec un pulvérisateur qui permettrait de doubler la récolte de sa nouvelle oliveraie. Lloube y alla aussi et rapporta tout un assortiment de dessous féminins qui semblaient avoir été conçus par le diable lui-même. Deux ou trois joueurs acharnés rapportèrent des jeux de cartes tout neufs si somptueux qu'ils ne semblaient composés que de rois et d'as. Vigné voulut tenter sa chance, lui aussi, mais quitta la partie avec une figure longue d'une aune.

Comme les tractations ne faisaient qu'augmenter, il fallait de plus en plus d'argent frais. Foiral fit une nouvelle proposition.

« Nous allons tous aller à Perpignan, la bande au grand complet. Nous irons à la banque, on leur fourrera nos *billets* [2] sous le nez et on leur fera voir, à ces petits vestons de lustrine, à qui l'argent appartient. Oh, les gars ! On va les laisser sans un sou.

— Il leur restera toujours les cent dix francs, dit Quès.

— Qu'ils aillent au diable avec leurs cent dix francs ! dit Foiral. Et, les gars, eh bien, après ça... allons... ah ! ah ! chaque homme a péché au moins une fois... On dit que le seul parfum d'une de ces créatures vaut bien cinquante francs. Grisant ! Des tapis sur les escaliers, des cheveux roux, tous les vices ! Demain !

— Demain », crièrent-ils tous en chœur. Et le lendemain matin, ils partirent, vêtus de leurs plus beaux habits, leurs visages reluisants. Ils fumaient tous comme des sapeurs et ils avaient tous lavé leurs pieds.

Le voyage fut formidable. Ils obligèrent le car à s'arrêter

1. En français dans le texte (N. d. T.)
2. En français dans le texte (N. d. T.)

à chaque café qui se trouvait sur la route. Ils demandèrent
le prix de tout ce qu'ils voyaient. A Perpignan, ils demeurèrent en rang serré, comme une phalange. Si les citadins
les dévisageaient, nos amis les dévisageaient avec deux
fois plus d'insistance. Lorsqu'ils se dirigèrent vers la banque, Foiral fit :

« Où est Guis ?, comme s'il le cherchait parmi les autres.
Est-ce qu'on lui doit quelque chose à lui ? »

A ces mots, ils éclatèrent de rire. Ils ne pouvaient pas
garder leur sérieux même en s'y efforçant. Ils étouffaient
littéralement de rire lorsque les portes tournantes se refer-
mèrent derrière eux.

EN PLEIN JUS

de

ROALD DAHL

Au matin du troisième jour, la mer se calma. Même les
passagers les plus mal lotis — c'est-à-dire ceux qu'on
n'avait pas vus depuis que le bateau avait levé l'ancre —
émergèrent de leur cabine et se faufilèrent sur le deck
où le steward leur apporta des chaises longues, les enveloppa dans des plaids et les abandonna allongés côte à
côte, le visage tourné vers le pâle soleil de janvier qui ne
réchauffait personne.

Ce calme soudain après une mer mauvaise leur donnait
un délicieux sentiment de confort. L'atmosphère s'était
adoucie. Lorsque le soir tomba, après douze heures de
beau temps, les passagers commençaient à se sentir en
confiance. A huit heures, dans la grande salle à manger,
les passagers buvaient et mangeaient avec l'assurance des
vieux long-courriers. Mais vers le milieu du repas, quelques-uns s'aperçurent, parce qu'il y avait un léger frotte-
ment entre leur chaise et leur corps, que le navire s'était
remis à tanguer. D'abord, un mouvement très doux, très
lent qui faisait rouler paresseusement le bateau d'un bord
à l'autre mais qui suffit à transformer l'ambiance. Certains
levèrent les yeux de leur assiette d'un air hésitant, comme
s'ils épiaient le prochain coup de roulis. Ils souriaient d'un
sourire crispé et la flamme de l'appréhension s'allumait
dans leurs yeux. Les autres, au contraire, détendus, plai-

santaient au sujet de la nourriture — pour torturer ceux qui ressentaient les premières atteintes du mal de mer. C'est alors que le navire commença à danser frénétiquement. Les passagers durent se cramponner à leur fauteuil, se caler contre le dossier comme dans une voiture qui prend un brusque virage.

Un coup de roulis encore plus violent fit valser l'assiette de M. William Botibol et le turbot poché sauce hollandaise qu'elle contenait. M. Botibol, qui était assis à la table du commissaire, en lâcha sa fourchette. Il y eut un moment de panique, chacun des convives essayant de rattraper son assiette ou son verre. Mme Renshaw, assise à la droite du commissaire, pousa un petit cri et lui saisit le bras.

« La nuit va être mauvaise, dit le commissaire en regardant Mme Renshaw. Le vent se lève, la mer sera grosse. »

Il y avait un rien de satisfaction dans son ton.

Un steward se précipita pour éponger l'eau renversée sur la nappe. L'agitation ne s'apaisait pas mais la plupart des passagers continuèrent leur repas. Les autres, dont Mme Renshaw, se levèrent discrètement, se glissèrent entre les tables pour gagner la porte.

« Eh bien, remarqua le commissaire, elle s'en va. »

Et il jeta un regard d'approbation sur ceux qui tenaient le coup. Ils en ressentirent un immense orgueil : c'était un certificat de bon marin.

Lorsqu'on servit le café, M. Botibol, qui était resté particulièrement grave et pensif depuis que la houle se faisait sentir, se leva soudain et, sa tasse à la main, vint s'asseoir à la place de Mme Renshaw, à la droite du commissaire. Il se pencha vers lui et lui murmura à l'oreille :

« Excusez-moi. Pourriez-vous me dire quelque chose, s'il vous plaît ? »

Le commissaire, petit, gras et rouge se tourna pour l'écouter :

« De quoi s'agit-il, monsieur Botibol ?

— Voilà ce que j'aimerais savoir... »

Son visage était inquiet tandis que le commissaire l'observait :

« Voilà ce que je voudrais savoir : est-ce que le capitaine a déjà fait son estimation sur le chemin p rcouru aujourd'hui... vous savez pour « la poule aux enchères [1] » ? Vous croyez qu'il l'a faite avant que le temps devienne mauvais ? »

Le commissaire, qui attendait une confidence, sourit, se carra dans son fauteuil pour que son ventre plein fût à l'aise :

« Probablement... oui », répondit-il.

Il avait répondu à haute voix bien que la question eût été murmurée.

« Il y a combien de temps qu'il l'a faite, à votre avis ?

— Oh ! dans l'après-midi, comme d'habitude.

— Vers quelle heure ?

— Je ne sais pas, vers les quatre heures, je pense.

— Et dites-moi : comment le capitaine fixe-t-il le chiffre exact ? Est-ce que ça lui donne beaucoup de mal ? »

Le commissaire observa le visage anxieux, les sourcils froncés de M. Botibol et il sourit, car il savait où l'homme voulait en venir.

« Eh bien, voyez-vous, le capitaine tient une petite conférence avec l'officier navigant. Ils étudient le temps, un tas d'autres choses, après quoi, ils font leur estimation. »

M. Botibol hocha la tête; il réfléchissait. Puis il dit :

---

1. Jeu auquel on joue seulement sur les navires anglais et qui consiste à parier sur le nombre de milles parcourus dans la journée. (N. d. T.).

« Croyez-vous que le capitaine savait qu'il ferait mauvais temps aujourd'hui ?

— Je n'en sais vraiment rien », répliqua le commissaire.

Il scrutait les petis yeux noirs de son interlocuteur où s'étaient allumées deux petites lueurs d'excitation.

« Non, vraiment, je n'en sais rien, monsieur Botibol.

— Et si le mauvais temps continue, ça vaudrait peut-être la peine de parier sur les chiffres les plus bas. Qu'en pensez-vous ? »

La voix se faisait plus pressante, plus angoissée.

« Ça vaut peut-être la peine. Je ne crois pas que le vieux ait prévu un temps aussi mauvais pour cette nuit. La mer était calme, cet après-midi, quand il a fait son estimation. »

Leurs compagnons de table s'étaient tus pour essayer d'entendre. Ils observaient le commissaire avec une expression tendue, la tête à demi-penchée, celle des joueurs sur les champs de courses essayant de surprendre les propos d'un entraîneur.

« Supposons que vous, par exemple, *vous* ayez le droit de jouer. Quel chiffre choisiriez-*vous*, aujourd'hui ? murmura M. Botibol.

— Je ne connais pas encore le parcours, répondit patiemment le commissaire. On ne l'annonce pas avant les enchères qui ont lieu après dîner. D'ailleurs, mes prévisions ne valent jamais rien. Moi, vous savez, je ne suis que le commissaire sur ce bateau. »

C'est alors que M. Botibol se leva.

« Veuillez m'excuser », dit-il.

Et il avança prudemment sur le sol mouvant et par deux fois dut s'accrocher au dossier d'une chaise.

« Au pont-promenade, s'il vous plaît », dit-il au garçon d'ascenseur.

Le vent le souffleta lorsqu'il sortit sur le pont. Il trébucha et dut se retenir des deux mains à la rambarde. Il demeura immobile à contempler la mer en furie, et les hautes vagues crêtées d'écume.

« Il fait mauvais dehors, hein ? » fit le garçon d'ascenseur quand il redescendit.

M. Botibol se recoiffait avec un petit peigne rouge.

« Croyez-vous que nous ayons réduit la vitesse à cause du temps ? demanda-t-il.

— Ben, je crois, monsieur, que nous l'avons fichtrement réduite depuis que le gros temps a commencé. Si on ne réduisait pas considérablement la vitesse par un temps pareil, tous les passagers passeraient par-dessus bord. »

En bas, dans le fumoir, tout le monde parlait de la poule. On s'était groupé autour des tables, les hommes, un peu trop empesés dans leur smoking et un peu trop rouges de s'être rasé de trop près, auprès de leurs femmes fraîches et gracieuses. M. Botibol s'assit à la table du meneur d'enchères. Il se carra sur sa chaise, les jambes et les bras croisés, avec l'air triste d'un homme qui a pris une terrible décision et se refuse à avoir peur.

Le montant de la Poule, pensait-il, s'élèverait sans doute à 7 000 dollars. C'est ce qu'elle avait atteint les deux derniers jours où les chiffres s'étaient vendus entre 300 et 400 dollars. Comme c'était un navire britannique, on jouait en livres mais lui, américain, préférait calculer en dollars. Sept mille dollars, c'était beaucoup d'argent... Voici ce qu'il allait faire : il demanderait d'être payé en billets de cent dollars qu'il mettrait dans la poche intérieure de son veston au moment de débarquer. Ça ne posait aucun problème. Et aussitôt, oui, immédiatement, il s'achèterait une Lincoln décapotable. Il prendrait le volant, rentrerait à la maison, rien que pour avoir le plaisir de voir le visage d'Ethel lorsque, du pas de la porte, elle

apercevrait la voiture. La tête d'Ethel quand le cabriolet
vert pâle, flambant neuf, s'arrêterait devant la maison ! Ça
serait du tonnerre...

« Hello, Ethel, mon chou, dirait-il le plus naturellement
du monde. J'ai pensé que ça te ferait plaisir si je t'appor-
tais un petit cadeau. J'ai vu cette voiture en vitrine, en
passant, et je me suis rappelé que tu en avais envie. Elle
te plaît toujours, mon chou ? Tu aimes cette couleur ? »

Et puis, il scruterait son visage.

Le meneur d'enchères se trouvait maintenant debout
derrière la table :

« Mesdames, messieurs, cria-t-il, le commandant a fait
son estimation du parcours pour la journée qui se terminera demain, à midi : 515 milles. Comme d'habitude, nous
prendrons les dix chiffres au-dessus et au-dessous de l'estimation, ce qui signifie une marge allant de 505 à 525.
Mais pour ceux qui pensent que le nombre exact des
milles parcourus sera très éloigné de celui fixé par le commandant, il y aura des paris pris sur une évaluation « très
supérieure » ou « très inférieure ». Maintenant, je vais
sortir le premier numéro du chapeau... le voici : 512. »

Il y eut un grand silence dans la pièce. Les passagers
restaient immobiles, les yeux fixés sur le meneur d'enchères. Il y avait de la tension dans l'air qui augmentait au
fur et à mesure que les mises montaient. Ce n'était ni un
jeu ni une plaisanterie. Pour s'en rendre compte, il n'y
avait qu'à observer les parieurs quand l'un d'entre eux
avait surenchéri : ils souriaient encore — mais avec un
regard glacé.

Le 510 fut adjugé pour la somme de 110 livres. Les
trois ou quatre chiffres suivants atteignirent à peu près la
même cote.

Le navire roulait lourdement et, chaque fois qu'il retom-
bait, la coque craquait comme si elle allait s'ouvrir. Mais

les passagers, cramponnés aux bras des fauteuils, n'étaient attentifs qu'au feu des enchères.

Le meneur annonça :

« Maintenant nous parions sur l'évaluation « très inférieure ». Annoncez ! »

M. Botibol, raide et crispé, se leva. Il avait décidé de prendre la parole quand les autres auraient fini de parler. A ce moment-là, il se lèverait et annoncerait sa mise. Il devait avoir au moins 500 dollars à la banque, peut-être six, ce qui représenterait environ 200 livres... plus de 200 livres. Le prix du ticket ne dépasserait pas cette somme.

« Comme vous le savez tous, dit le meneur d'enchères, nous entendons par évaluation « très inférieure », tous les chiffres au-dessous de 505. Par conséquant, si vous croyez que ce bateau parcourra moins de 505 milles dans les vingt-quatre heures qui prendront fin demain à midi, annoncez vos mises. Alors ? »

Les enchères montèrent à 130 livres. M. Botibol n'était pas seul à avoir remarqué que la mer était mauvaise. Cent quarante... cent cinquante. Les enchères en restèrent là. Le meneur leva son marteau :

« Cent cinquante, une fois...

— Cent soixante », annonça M. Botibol.

Tout le monde le regarda.

« Cent soixante-dix, fit une voix.

— Cent quatre-vingts, dit M. Botibol.

— Cent quatre-vingt dix.

— Deux cents », annonça M. Botibol.

Rien au monde ni personne ne pouvait l'arrêter.

Il y eut un temps mort.

« Qui dit mieux ? »

« Ne bouge pas, se dit-il, ne bouge pas et ne lève pas les yeux. Ça porte malheur de lever les yeux. Retiens ton souffle. Personne ne surenchérira aussi longtemps que tu retiendras ton souffle. »

Le meneur d'enchères était chauve et sur son crâne lisse apparaissaient quelques gouttes de sueur :

« Une fois... »

M. Botibol retenait son souffle.

« Deux fois...

— Adjugé ! »

L'homme abattit son marteau sur la table. M. Botibol fit un chèque, le tendit à l'assistant du meneur d'enchères puis se renversa dans son fauteuil et attendit la fin. Il ne voulait pas aller se coucher avant de savoir ce qu'il y avait dans la cagnotte.

On connut la somme après la vente du dernier ticket : 2 500 livres et quelques, c'est-à-dire, environ, 6 000 dollars dont 90 % reviendraient au gagnant et 10 % aux œuvres de la mer. Quatre-vingt-dix pour cent de six mille dollars, ça faisait cinq mille quatre cents dollars. Parfait. Ça suffisait : il pourrait acheter ce cabriolet Lincoln, et il lui resterait même un peu d'argent. Réconforté, il gagna sa cabine, heureux et impatient.

Quand M. Botibol s'éveilla le lendemain matin, il resta étendu sans bouger pendant quelques minutes, les yeux fermés, espérant entendre le bruit de la tempête et sentir le roulis du navire. Or, il n'y avait ni bruit de tempête ni roulis. Il sauta hors du lit et se précipita vers le hublot. O doux Jésus ! la mer était d'huile. L'étrave la fendait à toute vitesse pour rattraper sans doute le retard. M. Botibol se détacha du hublot et se laissa glisser sur le bord de sa couchette. Il eut des picotements au creux de l'estomac. Il n'y avait plus d'espoir. Le chiffre élevé allait l'emporter.

« Oh ! mon Dieu, gémit-il à haute voix, qu'est-ce que je vais faire ? »

Et qu'allait dire Ethel ? Jamais il n'aurait le courage de lui avouer qu'il avait perdu les économies de deux années en achetant un ticket pour la Poule du bateau. Et pourtant, il ne pourrait le lui cacher puisqu'il lui faudrait lui demander de ne plus signer de chèques. Et comment payer les mensualités de la télévision et de l'Encyclopédie britannique ? Il voyait déjà la colère et le mépris luire dans les yeux de sa femme : le bleu tournerait au gris, les pupilles se rétréciraient comme chaque fois qu'elle se mettait en colère.

« Oh ! mon Dieu, qu'est-ce que je *vais* faire ? »

Il n'était pas assez idiot pour croire qu'il lui restait la moindre chance, à moins que ce fichu bateau ne se mette à marcher à reculons. Que le navire ne fasse marche arrière — et encore, à toute vitesse — pour qu'il ait une chance de gagner. Eh bien, pourquoi ne pas demander au commandant ? Et lui offrir 10 % du gain ? Lui offrir même davantage s'il l'exigeait ? M. Botibol se mit à ricaner puis soudain s'arrêta, les yeux fixes et la bouche béante — car ce fut à ce moment précis que l'idée lui vint. Elle le frappa de plein fouet. Il sauta du lit, dans un état de surexcitation indicible, courut vers le hublot et regarda de nouveau. Et alors, se dit-il, pourquoi pas ? Oui, pourquoi pas ? La mer était calme et il n'aurait aucun mal à surnager jusqu'à ce qu'on le sauve. Il crut se rappeler que quelqu'un l'avait fait avant lui, mais cela ne l'empêcherait pas de le faire, lui aussi. Il faudrait que le bateau s'arrête, qu'on affale le canot à la mer et le canot devrait parcourir près d'un demi-mille pour le recueillir. Ensuite, il faudrait regagner le navire, le hisser à bord. Tout cela prendrait au moins une heure. Et une heure, cela représentait trente milles. Cela diminuerait de 30 milles le parcours de la journée. Ce serait suffisant. Son ticket de l'évaluation « très inférieure » serait incontestablement le gagnant. Encore fallait-il que quelqu'un le voie tomber à la mer.

Cela pouvait s'arranger. Naturellement, il lui faudrait porter des vêtements légers, avec lesquels il pourrait nager facilement ; des vêtements de sport, évidemment. Il allait s'habiller comme pour une partie de deck tennis : une chemise, un short et des chaussures de tennis. Il laisserait sa montre dans la cabine. Quelle heure était-il ? neuf heures et quart. Bon, le plus tôt serait le mieux. Autant s'en débarrasser tout de suite. D'autant plus que midi était l'heure limite.

Lorsqu'il gagna le pont-promenade, en tenue sport, M. Botibol était à la fois effrayé et surexcité. Avec ses hanches larges et ses épaules étroites, il ressemblait à une bouteille de Saint-Galmier. Il parvint sur le pont, à pas prudents sur ses semelles de caoutchouc, ses jambes couvertes de poils noirs paraissant encore plus blanches sous le soleil. Il regarda furtivement autour de lui. Personne en vue sauf une femme âgée avec des chevilles épaisses et de grosses fesses. Penchée au-dessus de la rambarde, elle regardait la mer. Le col relevé de son manteau d'astrakan lui cachait le visage.

Immobile, M. Botibol l'examina de loin avec attention. « Oui, se dit-il, elle fera l'affaire car probablement elle donnera l'alarme aussitôt. Mais attends une minute, prends ton temps, William Botibol, prends ton temps. Rappelle-toi ce que tu te disais il y a quelques minutes, dans ta cabine, pendant que tu changeais de vêtements. Te le rappelles-tu ? »

L'idée de sauter dans l'eau à un millier de milles de la terre ferme la plus proche avait rendu M. Botibol — d'un naturel peu téméraire — plus prudent que jamais. En tout cas, il n'avait pas l'absolue certitude que cette femme donnerait l'alarme quand il ferait le plongeon. Il y avait deux raisons possibles à son abstention : *primo*, elle était peut-être sourde et aveugle. C'était peu probable, mais c'était possible. Alors, pourquoi courir un risque ? Le plus simple, c'était de lui parler pour s'assurer qu'elle n'était pas atteinte de cette double infirmité. *Secundo :* (Et ceci prouve comme un homme devient soupçonneux quand il réfléchit, poussé par l'instinct de conservation) cette femme pouvait fort bien être propriétaire d'un ticket de la série « évaluation très supérieure », ce qui lui donnerait une excellente raison de ne pas donner l'alarme pour ne pas retarder le bateau. M. Botibol savait que des êtres humains tuent pour moins de 6 000 dollars. On le lit quotidiennement dans les journaux. Pourquoi courir ce risque ? D'abord, il fallait vérifier. « Soyons sûr des faits. Une petite conversation polie. Si cette femme se révèle sympathique et humaine, la question sera réglée : je saute par-dessus bord, le cœur léger. »

M. Botibol se dirigea vers la passagère, très désinvolte, et s'appuya à côté d'elle, sur la rambarde.

« Hello », fit-il simplement.

Elle se retourna et lui sourit. Son visage était parfaitement insignifiant mais quand elle sourit, il devint presque beau.

« Hello ! » lui répondit-elle.

« La première question est réglée, conclut M. Botibol : elle n'est ni aveugle ni sourde.

« Dites-moi, reprit-il, que pensez-vous des enchères d'hier soir ?

— Les enchères, demanda-t-elle en fronçant les sourcils ? Quelles enchères ?

— Voyons, vous savez bien. Ce jeu idiot et démodé qui se pratique tous les soirs dans le fumoir, après le dîner. On parie sur les chiffres des milles parcourus. Je me demandais ce que vous en pensiez ? »

Elle secoua la tête et sourit de nouveau. Elle semblait vouloir s'excuser par ce charmant sourire :

« Je suis très paresseuse. Je me couche de bonne heure. Je dîne au lit. C'est si reposant de dîner au lit. »

M. Botibol lui rendit son sourire et s'éloigna doucement :

« Il faut que j'aille faire un peu de sport. J'en fais chaque matin. J'ai été heureux de faire votre connaissance. Très heureux... »

Il s'éloigna d'une dizaine de pas et la femme le laissa partir, sans le regarder.

Tout était en ordre, maintenant. La mer était calme. Il était habillé assez légèrement pour nager. Il était à peu près certain qu'il n'y avait pas de requins dans ce coin d'Atlantique et que cette vieille dame donnerait l'alerte. Un seul point restait douteux : le bateau prendrait-il suffisamment de retard pour faire pencher la balance en sa faveur ? C'était presque sûr. En tout cas, voici comment il agirait pour atteindre son but : il susciterait des difficultés au moment où on le hisserait dans le canot, il s'éloignerait subrepticement quand les marins s'efforceraient de le repêcher. Chaque minute, chaque seconde de retard serait autant d'atouts dans son jeu. Il s'avança vers la rambarde et s'arrêta, assailli par une nouvelle crainte : et s'il était pris dans l'hélice ? Il avait entendu dire que c'était arrivé à des personnes tombées du haut d'un navire. Mais, lui, il ne tomberait pas, il sauterait. Ce n'était pas du tout la même chose. A condition de sauter assez loin pour éviter l'hélice.

M. Botibol reprit sa marche vers la chambre et l'atteignit à vingt mètres environ de la passagère. Elle ne le regardait plus. Tant mieux. Il n'avait pas envie qu'elle le voie sauter car il pourrait toujours dire, plus tard, qu'il avait glissé et qu'il était tombé accidentellement dans l'eau. Il fixa la coque du navire : elle était très, très haute. Il pensa soudain qu'il se ferait très mal s'il tombait à plat ventre. N'y avait-il pas quelqu'un qui s'était ouvert l'estomac en faisant un à-plat d'un plongeoir très élevé ? Il fallait sauter tout droit, les pieds les premiers. Entrer dans l'eau comme un couteau. Oui, monsieur. L'eau était froide, profonde et grise. Il en frissonna. Mais il fallait y aller. Ou tout de suite ou jamais. « Sois un homme, William Botibol. Sois un homme ! Alors, très bien, j'y vais... alors, j'y vais... » Et il y alla.

Il escalada la rambarde, resta en équilibre sur la lisse, hésita pendant trois horribles secondes. Et tout à coup, il sauta... il sauta aussi loin qu'il put dans le vide en criant : « *Au secours !* »

« Au secours, au secours ! » cria-t-il en tombant.

Puis il toucha l'eau et coula.

Quand le premier appel « au secours » retentit, la femme penchée sur la rambarde tressaillit. Elle jeta autour d'elle un regard circulaire et vit passer, volant au-dessous d'elle, ce petit monsieur en short blanc et chaussé de souliers de tennis, les bras écartés comme des ailes. Elle ne sut pas tout de suite ce qu'elle devait faire : lui jeter une bouée de sauvetage, donner l'alarme ou tout simplement se mettre à hurler ? Elle s'éloigna de la rambarde, fit demi-tour en levant la tête vers la passerelle. Pendant un moment elle demeura paralysée, tendue, hésitante. Puis elle parut se détendre, revint vers la rambarde, se pencha pour regarder l'eau qui tourbillonnait sous l'étrave. Bientôt, émergeant de l'écume, apparut une petite tête ronde; un bras s'éleva au-dessus de l'eau une fois, deux fois en grands signes désespérés. Une petite voix très lointaine se fit entendre trop indistincte pour que les mots soient perceptibles. La femme se pencha encore davantage, pour ne pas perdre de vue la petite tache noire qui dansait, mais très vite, la petite chose se trouva si loin qu'elle n'était plus sûre qu'elle s'y fût jamais trouvée.

Une autre passagère apparut sur le pont, osseuse et anguleuse, celle-ci, avec des lunettes d'écaille. Elle se dirigea vers la première, martelant le pont d'un pas assuré, militaire — un pas de vieille fille.

« Ah ! *vous voilà* », dit-elle.

L'interpellée se retourna et la regarda sans rien dire.

« Je vous ai cherchée, poursuivit-elle. Je vous ai cherchée partout.

— C'est très curieux, dit la femme aux chevilles épaisses : un homme vient de plonger par-dessus bord, tout habillé.

— C'est idiot !

— Oh oui ! Il a dit qu'il voulait faire du sport. Il a plongé et il ne s'est même pas donné la peine de se déshabiller.

— Allons, ça suffit, descendez », répondit la femme osseuse.

Sa bouche s'était pincée tout à coup. Son regard était devenu aigu, vigilant. Son ton se fit sévère :

« Et que je ne vous y reprenne pas à errer sur le pont toute seule. Vous savez très bien que vous ne devez pas sortir sans moi.

— Oui, Maggie », répondit la femme aux grosses chevilles — et elle lui sourit avec tendresse et confiance.

Elle prit la main de sa compagne et se laissa emmener.

« Quel homme charmant, dit-elle encore. Il me faisait des signes de la main. »

LE SECRET DE LA BOUTEILLE

de

GERALD KERSH

QUE la brillante couleur rouge du verre de la bouteille d'Oxoxoco soit due à la présence de sels d'uranium dans la pâte n'a aucune importance. On trouve la même coloration dans certains verres de Bohême et de Venise, par exemple. Non, ce n'est pas ça qui surprend les archéologues du British Museum, mais c'est la forme de l'objet. Ils n'arrivent pas à se mettre d'accord ni sur sa nature, ni sur sa destination.

Le docteur Raison, par exemple, dit que ce n'est pas une bouteille, mais plutôt un instrument musical, sorte de curieuse combinaison entre l'ocarina et la syrinx, à cause des trois becs fins et courbés, et de cette chose placée en face du bec le plus long qui ressemble à un trou. Mais selon Sir Cecil Sampson, qui fait autorité en matière d'instruments de musique anciens, la bouteille d'Oxoxoco n'a jamais été construite pour émettre des sons. Le professeur Miller serait plutôt d'avis que la bouteille d'Oxoxoco est une sorte de pipe à tabac : les deux becs courts et incurvés étant destinés aux narines, et le plus long à la bouche. Le professeur Miller signale que des herbes en combustion tombaient dans le trou et que l'utilisateur de la bouteille devait avaler la fumée par ses voies respiratoires.

J'ai de bonnes raisons de croire que le professeur Miller

était le plus près de la vérité, quoique, si le document en ma possession est authentique, ce n'était pas du tabac que l'on brûlait dans cette bouteille en forme de pieuvre.

Elle était intacte, à quelques éclats près, lorsque je l'achetai en 1948, à Cuernavaca à un colporteur métis.

« Authentique, avait-il dit, et ce mot semblait être le seul qu'il connût dans ma langue. Authentique. Authentique. »

Il me montra les montagnes du doigt et me fit comprendre avec force grimaces qu'il avait trouvé la bouteille après un tremblement de terre. Je finis par lui donner cinq pesos et j'oubliai la bouteille pendant plusieurs années, jusqu'au jour où je la retrouvai parmi des souvenirs poussiéreux : des sombreros, des harnais, un jeune alligator empaillé et d'autres babioles, comme en achètent les touristes, ces touristes qui paient très cher des objets, pour les offrir ensuite à leurs amis, lesquels les fourrent dans un endroit inaccessible. Je m'aperçus que les chapeaux de paille et autres articles tressés étaient abîmés.

Le petit crocodile était décousu et perdait sa paille tout comme la pastenague des Caraïbes. Mais le récipient que les savants baptisèrent ensuite « La bouteille d'Oxoxoco », semblait briller de mille feux.

Je la pris négligemment et dis à un ami qui passait la soirée avec moi :

« Ça, ce que c'est, je ne le sais pas. »

A ce moment précis, elle glissa de mes doigts poussiéreux et se brisa sur le pied d'une lampe de cuivre.

Mon ami fit observer :

« Tu ne crois pas que c'est une sorte de porte-cigares primitif ? Regarde. Il y a encore un cigare à l'intérieur. A moins que ce ne soit un morceau de cannelle.

— Qu'est-ce qu'on peut bien faire avec de la cannelle

au Mexique? demandai-je en ramassant le rouleau marron clair au contact huileux qui dégageait une légère odeur
aromatique. Je me demande ce qu'on peut bien faire
avec ça ? »

Il me prit l'objet des mains et le fit crisser à son
oreille entre le pouce et l'index, à la manière des experts
en cigares. La première feuille se déroula. L'intérieur était
jaune clair. Il s'écria :

« Bon Dieu, mon vieux, c'est du papier... du papier
fin... Il y a même quelque chose d'écrit dessus, à moins
que je n'y voie plus clair. »

Nous ramassâmes les morceaux de la bouteille et le rouleau en forme de cigare que nous apportâmes au British
Museum. Le professeur Mayhew, du Service des Cérami-
ques, prit en charge la bouteille brisée. Le docteur Wills,
du service des Manuscrits anciens, se mit à étudier le rouleau avec la patience frénétique qui caractérise ce genre
de savants, capables de perdre la vue en étudiant pendant
vingt ans un fragment des Manuscrits de la mer Morte.

A notre surprise, il réussit à mettre plat le rouleau et,
en moins de six semaines, à le séparer en feuilles minces.
C'est alors qu'il me fit appeler pour me dire :

« Ce n'est pas un manuscrit ancien. Il a à peine cinquante ans. C'est écrit au crayon sur du papier légèrement
quadrillé qui a été arraché à un carnet de journaliste en
1914 au plus tard. Ce n'est pas mon affaire. C'est pourquoi
je l'ai donné à Brownlow, du service des Manuscrits mo-
dernes. Je vous prie de m'excuser. »

Et il disparut par une porte de la bibliothèque.

Le docteur Brownlow étudiait les papiers étalés sur sa
table recouverte d'une plaque de verre épais. Il me dit
d'une voix sèche :

« C'est une mauvaise plaisanterie, monsieur Kersh. Je
pourrais vous citer mille autres manières plus intéressantes

de faire perdre le temps du Museum et le vôtre. Si ce
n'est pas une mauvaise plaisanterie, c'est une des découvertes littéraires du siècle, qui intéresserait les Américains
en particulier. Et, comme ils sont tous millionnaires, ils
ont les moyens de l'acheter. Nous, ce n'est pas notre cas.
Mais pourtant, c'est un document curieux... très curieux !

— Et qu'est-ce que c'est ? » demandai-je.

Avant de répondre, il prit son temps, selon la manière
agaçante caractéristique de ce genre de chercheurs.

« Etant donné l'âge avancé de l'auteur putatif, je remarque qu'il y a des signes contradictoires dans l'écriture.
L'auteur supposé de cet écrit devait déjà être un vieillard aux environs de 1914, époque à laquelle ce manuscrit
remonte sans doute. En outre, cet homme avait de l'asthme
et des rhumatismes. Pourtant, je n'affirme rien. Me per-
mettez-vous de faire une petite enquête et de conserver
ce document olographe quelques jours encore ?... »

J'interrogeai :

« Mais quel homme ? Quels rhumatismes ? Qu'est-ce que
tout ça signifie ?

— Excusez-moi, je croyais que vous saviez. Ceci, ajouta-t-il en tapant la plaque de verre, prétend être le dernier ouvrage écrit par l'auteur américain Ambrose Bierce.
Je me suis permis de faire photographier ce document à
votre intention. Puis-je le conserver jusqu'à lundi prochain
pour procéder à des recherches plus approfondies ?

— Comme il vous plaira, répondis-je, tandis qu'il me
tendait les agrandissements photographiques faits d'après
les petites feuilles du carnet.

— C'était un grand écrivain, dis-je. Un des plus grands
écrivains d'Amérique. »

Le savant haussa les épaules :

« Voyons, il est resté à Londres de 1872 à 1876. C'était
un journaliste, oui, un journaliste. On l'avait surnommé

« l'Amère Ambroisie. » Lorsqu'il est retourné aux Etats-Unis, il a travaillé, si ma mémoire est bonne, à San Francisco, écrivant pour des magazines tels que l'*Examiner*, l'*American*, le *Cosmopolitan*, etc. Connu pour sa plume amère et ses histoires de fantômes, il avait du talent. Les cercles littéraires des Etats-Unis vous offriraient n'importe quoi pour ce manuscrit... s'il est authentique. Si... Maintenant, je vous prie de m'excuser. »

Au moment de nous séparer, il ajouta avec un petit sourire :

« J'espère qu'il est authentique, dans votre intérêt et dans le nôtre, parce que cela apporterait la solution aux discussions qui vont s'élever entre nos chercheurs du Service des Faïences antiques. »

Et voici le texte du manuscrit trouvé dans la bouteille d'Oxoxoco :

Le mont Popocatepetl domine le petit village d'Oxoxoco qui, au prime abord, semble charmant et pittoresque, au sens mexicain du mot. A ce point de vue, il ressemble beaucoup à ses habitants. Oxoxoco est, en vérité, pittoresque et intéressant, quand on le regarde d'assez loin pour ne pas en sentir l'odeur. Quand il s'y est habitué, le voyageur déçu lève les yeux vers le sommet du volcan pour y trouver un peu de fraîcheur au milieu de ce paysage endormi, brûlé de soleil et hanté par les bandits. Mais s'il s'agit d'un homme raisonnable, il en arrive à souhaiter qu'il se produise une éruption volcanique pour que la lave en fusion descende en bouillonnant dans le fond de la vallée et supprime de la surface de cette terre tourmentée ce misérable village, en le recouvrant tout entier de ponce fine et de cendres blanches.

On m'avait surnommé l'homme qui n'aime que haïr. Ce qui était exact. Je méprisais mes contemporains, je détestais ma femme — ce qu'elle me rendait bien — et

j'éprouvais un immense dédain pour mes fils et leur grand-
père, c'est-à-dire mon père. Londres me consternait. New
York me dégoûtait et la Californie me donnait des nau-
sées. Je crois même n'être venu à Mexico que pour y
découvrir un nouvel objet de haine. Oxco, Taxco, Cuernavaca... me déplaisaient toutes autant les unes que les
autres et je savais d'avance qu'il en serait de même pour le
village d'Oxoxoco qui de loin pourtant paraissait enchan-
teur. Mais j'étais las et malade, poursuivi et solitaire, et
j'avais besoin de repos car tous les os de mon corps me
faisaient souffrir. Je ne devais pas trouver le repos à
Oxoxoco.

Dès que le voyageur arrive dans le village, il lui faut
affronter la crasse et la torpeur, les hommes, accroupis, le
menton sur les genoux, fument ou dorment. En dépit de
ses cabanes qui grimpent le long de la colline, l'endroit
semble curieusement inanimé. La seule construction en dur
à Oxoxoco, c'est l'église. Mon athéisme est bien connu.
Pourtant, je me réfugiai dans cette chapelle pour fuir la
chaleur, les mouches et les vautours qui sont les nettoyeurs
des rues d'Oxoxoco. Les vautours ici ont des ailes mais ne
s'occupent pas de politique, comme c'est le cas dans de
nombreux pays. L'église était relativement fraîche. Tout
en me reposant, je regardais les fresques murales. Des
dieux et des déesses sanguinaires aztèques, les indigènes
avaient fait des saints catholiques qu'ils adoraient à leur
manière sauvage et primitive.

Un prêtre vint me saluer. La bienveillance se répandit
sur son visage lorsqu'il s'aperçut que je portais un costume
complet, une chaîne de montre et des souliers. Répondant
à son offre amicale de me venir en aide, je lui dis :

« Eh bien, padre, montrez-moi le chemin pour sortir de
votre charmant village. »

Sachant trop bien qu'on ne peut rien obtenir sans monnaie sonnante et trébuchante, je lui donnai un demi-dollar :

« Pour les pauvres de votre paroisse si, par hasard, il y en a dans un endroit aussi délicieux. Dans le cas contraire, faites brûler quelques cierges pour ceux qui viennent de mourir. En attendant, voulez-vous avoir la bonté de me conduire dans un endroit où je puisse boire et manger. Je vous en serais très reconnaissant.

— La veuve de Diego est très propre et très aimable », dit-il en regardant la pièce de monnaie. Puis il fit : « Vous êtes américain ?

— J'ai cet honneur.

— Alors, en vérité, vous feriez bien de partir d'ici aussitôt que vous vous serez rafraîchi parce que le bruit court que Zapata va arriver... à moins que ce ne soit Villa. Comment le savoir !

— Si j'en juge par votre soutane, padre, vous êtes peut-être dans les secrets de Dieu, mais sûrement, en tous les cas, dans ceux d'Oxoxoco. Et à présent, voulez-vous me conduire à cet endroit où je pourrai boire et manger.

— Je vais vous emmener chez la veuve de Diego, dit-il en soupirant. Là-haut, ajouta-t-il me montrant la montagne du doigt, vous ne craindrez ni Villa ni Zapata, ni qui que ce soit. Personne n'ira à l'endroit que je vous montre, señor, pas même le plus brave des plus braves. Mon peuple est superstitieux, très superstitieux.

— Comme vous, vous ne l'êtes pas, padre, vous avez certainement déjà suivi ce sentier. »

En se signant, il dit :

« Que Dieu me garde ! »

Puis il ajouta vivement :

« Mais vous ne pouvez pas aller à pied, señor.

— J'aimerais mieux pas, padre ; mais comment pourrais-je y aller autrement ? »

Ses yeux s'éclairèrent :

« Vous avez de la chance. La veuve de Diego a un burro [1] à vendre et il connaît le chemin. Venez avec moi et nous irons chez la veuve de Diego. C'est une femme vertueuse et elle habite à deux pas d'ici. »

Le soleil semblait flamber comme de l'essence et, à chaque pas, nous étions assaillis par des nuages de mouches qui n'avaient pas l'air de déranger le bon prêtre. Par contre, celui-ci paraissait s'inquiéter énormément de mon bien-être. En vérité, ses « deux pas » en faisaient mille. Pendant toute la route, il me confessait, poussé seulement à demi par la curiosité.

« Señor, pourquoi voulez-vous monter là-haut ? Bien sûr, vous serez à l'abri des mauvaises gens mais il y a d'autres dangers, dont l'homme est le moindre.

— Est-ce que vous voulez parler des serpents ou des... commençai-je.

— Oh ! non, répondit-il. C'est beaucoup trop haut pour les serpents et pour les bêtes sauvages. De toute façon je vois que vous avez un revolver et un fusil. Oh, vous en verrez des serpents et des bêtes, quand vous traverserez la jungle d'Oxoxoco. Ça aussi, c'est un endroit dangereux. Aucun humain n'y habite.

— Padre, dis-je, j'ai habité Londres. »

Sans comprendre mon astuce, il insista :

« Il est de mon devoir de vous avertir, señor; c'est une jungle très dangereuse.

— Padre, j'arrive de San Francisco.

— Mais, señor, les bêtes sauvages ne sont pas aussi dangereuses que les insectes qui s'introduisent dans vos yeux et dans vos oreilles. Señor, ils vous sucent le sang, vous donnent la fièvre, rendent les hommes fous...

---

1. Burro = âne (en espagnol dans le texte, N. d. T.).

— Padre, padre... j'ai été en relation constante avec les gens de la presse !

— Au-delà de la seconde boucle de la rivière, on rencontre encore des Indiens qui ne sont pas baptisés. Ils tuent les étrangers lentement, en les faisant brûler à petit feu.

— Ça suffit, padre. J'ai été marié et j'ai eu des enfants. »

Son pas se ralentit lorsque nous approchâmes de la maison de la veuve de Diego et il me demanda :

« Comprenez-vous le caractère d'un burro, d'un âne ?

— Padre, j'ai suivi les cours de l'Institut militaire de Kentucky.

— Je ne comprends pas le sens de vos paroles mais les ânes sont des animaux pervers; que Dieu les bénisse ! Dites-leur d'avancer et il s'arrêtent. Dites-leur d'aller droit devant eux et ils zigzaguent.

— Padre, j'ai été tambour au 9e régiment d'infanterie de l'Indiana.

— Ah ! alors, vous connaissez la musique. Voici la maison de la veuve Diego. C'est une brave femme. »

Il me fit pénétrer dans un antre sombre et malodorant où flottaient des relents de porcherie mêlés à une odeur de bouc.

La veuve de Diego, comme l'avait dit le padre, était incontestablement une femme brave et vertueuse. Telle qu'elle était, comment eût-elle pu ne pas être vertueuse ? Elle n'avait que trois dents et était prématurément vieille comme toutes les femmes du pays. Quant à la propriété, elle était certainement aussi propre qu'on peut l'être à Oxoxoco. Un petit goret passa entre nos jambes lorsque nous entrâmes. Le padre le chassa en le bénissant et en lui donnant un bon coup de pied, puis il dit :

« Voici un « Monsieur », ma fille, qui voudrait un

léger repas et un burro. Il est naturellement tout disposé
à vous payer.

— Il n'est pas question d'argent », dit la veuve de
Diego en tendant une main avide. Dès que j'y eus déposé
quelques petites pièces de monnaie, elle les fit disparaître, tout en protestant, avec l'adresse d'un prestidigitateur.

« Je ne peux vraiment pas accepter. »

Puis elle me mena vers un tas de peaux brutes où je
m'assis en tenant des deux mains ma tête qui me faisait
mal.

Elle m'apporta rapidement un plat d'enchiladas et une
petite bouteille de cet alcool de cactus que les gens distil-
lent à un certain moment de l'année. Je me mis à manger
tout en sachant parfaitement que le brûlant poivre rouge
ne convenait pas à mon asthme. Je bus un peu, tout en
sachant parfaitement que cette boisson était la pire des
choses pour mes rhumatismes. Les mouches étaient si nom-
breuses, l'air si épais et si chaud que j'avais l'impression
d'être en train de cuire au four, au milieu d'un immense
gâteau aux raisins.

Elle me donna une gourde de lait de chèvre et, tandis
que je buvais, elle me demanda :

« Le señor veut un burro ? J'en ai un.

— C'est ce que m'a dit le révérend père en ajoutant
qu'il n'était pas facile.

— Je n'ai jamais vu un burro pareil. Il est grand et
beau, vous verrez d'ailleurs vous-même. Il est presque
aussi grand qu'une mule et tout blanc. Vous pouvez l'avoir
pour presque rien. Cinq dollars en argent.

— Voyons, vous plaisantez. Pour quelle raison consentez-
vous à vendre presque pour rien un animal qui a tant de
qualités ? J'ai pas mal vécu dans toutes les parties du
monde, señora, et, s'il y a une chose que j'ai apprise...

c'est à ne pas croire aux occasions. Parlez. Dites-moi tout sur cet animal. Est-ce qu'il est vicieux ?

— Non, señor, il n'est pas vicieux mais toutes les bonnes gens d'Oxoxoco ont peur de lui et personne ne veut l'acheter. Ils disent que c'est un burro fantôme parce que son poil est blanc et que ses yeux et son museau sont rouges.

— En d'autres termes, c'est un âne albinos. »

En entendant ce mot savant, elle se signa et continua :

« Est-ce que j'ai besoin d'un burro, señor ? Quelques chèvres, un cochon ou deux, un peu de grain... qu'est-ce qu'il me faut de plus ? Ecoutez-moi, caballero, vous pouvez l'avoir pour quatre dollars, avec un licou et une couverture en plus.

— Bon, faites-moi voir ce fameux burro, la veuve, j'ai chevauché plus d'un fantôme dans ma vie et ils ne se sont pas gênés pour me rendre la pareille. »

Elle me mena dans un endroit ombragé où se trouvait un grand âne blanc, une corde autour du cou, le regard perdu.

« Comment a-t-il atterri chez vous ? » demandai-je.

La question sembla l'embarrasser. Pourtant elle répondit :

« Il s'était perdu en descendant de la montagne et puisque personne n'est venu le réclamer depuis trois ans, j'ai le droit maintenant de dire qu'il m'appartient.

— Eh bien, justement, j'y vais, là-haut. Certainement que quelqu'un va le reconnaître et le réclamer, et moi, je n'aurai plus d'âne. Mais ça ne fait rien, donnez-moi la couverture et le licou et moi, je vais vous donner trois dollars pour le tout. »

La veuve de Diego accepta sur-le-champ. Je compris ce qui se passait dans son esprit : le burro n'avait aucune valeur marchande; si Villa survenait, ce qui semblait presque certain, son intendance s'emparerait de l'âne, soit pour lui faire porter les munitions, soit pour le manger. La veuve ne pouvait cacher un âne, mais elle pouvait cacher trois dollars. Donc, elle sortit une vieille couverture indienne et un licou en cuir tressé. Elle remplit également mon bidon d'eau et m'offrit le coup de l'étrier. Elle fourra dans ma poche quelques gâteaux enveloppés dans des feuilles.

« Que Dieu vous accompagne, étranger, dit-elle. Lorsque vous aurez passé la boucle de la rivière et que vous serez dans la jungle, tenez bien votre fusil. Lorsque vous arriverez à l'embranchement du sentier, à l'endroit où les arbres s'éclaircissent, tournez à gauche, pas à droite. »

Puis elle me passa autour du cou une petite chaîne d'argent à laquelle était attaché un tout petit crucifix. J'eus l'impression d'êre un peu comme le jeune Bram Stocker, dans *Dracula* — roman qui aurait pu être excellent si l'auteur avait su maintenir jusqu'à la fin du récit le rythme des trois ou quatre premiers chapitres. Néanmoins, je la remerciai et la gratifiai d'un dollar supplémentaire, qu'elle refusa. Après tout, c'était peut-être une brave femme comme l'avait dit le prêtre.

Les habitants d'Oxoxoco sortirent de leur torpeur pour se signer lorsqu'ils me virent passer, monté sur mon burro blanc. Rapidement je me trouvai dans la jungle, suivant un sentier à peine tracé, escaladant la montagne.

Je hais cette vie de la jungle, où pousse n'importe quoi, cette végétation dont la croissance ne s'arrête jamais, cette pourriture sans fin, maladive et inutile. Cela me rappelle trop la vie des quartiers pauvres des grandes villes comme Londres et New York. Les jungles, qu'elles soient faites de végétaux, de briques ou de mortier, ne sont bonnes qu'à s'y cacher et non pas à y vivre. Où il y a trop de vie, il y a trop de morts et trop de pourriture. Tout ce qui vit dans la jungle d'Oxoxoco est parfaitement vain. Les arbres atteignent une hauteur effrayante, en se poussant les uns les autres pour que leur faîte reçoive la lumière du soleil. Ils s'enchevêtrent, indifférents aux lianes meurtrières qui enserrent leurs troncs, puisant leur sève vitale dans la terre tout en luttant entre eux.

Il n'y avait ni lumière, ni ombre : seulement une espèce de vapeur maligne. A certains endroits, je crus être obligé de me frayer un chemin à l'aide de ma machette mais l'âne semblait connaître la route à travers cette forêt qui me paraissait à moi inextricable. Il s'arrêtait parfois pour boire l'eau d'une petite mare formée par le feuillage qui dégouttait. Mais il marchait courageusement. Jamais trois dollars n'avaient été mieux dépensés et je regrettais d'avoir marchandé avec la veuve de Diego qui, j'en étais maintenant convaincu, était non seulement une femme vertueuse mais aussi une femme généreuse. Ou une folle. Et j'avais de bonnes raisons de la bénir pour avoir rempli mon bidon d'eau et garni mes poches de gâteaux car trois jours pénibles s'écoulèrent avant que l'air ne devînt plus doux et la végétation moins épaisse.

Mais nous étions encore dans la jungle, quand je me surpris à parler seul : « Espèce de vieil idiot, tu as ce que tu mérites. Tu vis seul, tu mourras seul. » Comme il n'y avait pas de journalistes mal léchés contre lesquels exercer ma hargne, je la retournais contre moi-même. Et je crois que je trouvais enfin à qui parler !

Puis, après avoir bu la dernière goutte d'eau qui ressortit immédiatement par les pores de ma peau, je me déclarai perdu et me mis à délirer. Je me crus revenu dans la cabane en rondins où j'étais né, à Meigs County, dans l'Ohio, en compagnie de mon pauvre fou de père et de mes huit frères et sœurs, au moment où j'avais décidé de m'enfuir.

Soudain, par miracle, il n'y eut plus d'arbres et l'air

devint pur et frais. Le burro blanc se mit à galoper, puis à trotter, puis à marcher au pas et enfin s'arrêta. Je redressai ma tête vacillante et vis, debout sur le chemin, un homme grand, mince et habillé de blanc qui levait la main d'un geste impérieux.

Il dit d'une voix sonore :

« Alors, méchant burro, tu es revenu à la maison ? Eh bien, je te pardonne de t'être égaré puisque tu nous as amené un invité. »

Puis, s'adressant à moi, en pur castillan :

« Voulez-vous me permettre de vous aider à mettre pied à terre, señor ? Je crains que vous ne soyez à bout de force. Les épines vous ont laissé de mauvaises égratignures sur le visage. »

Je réussis à croasser en anglais :

« Pour l'amour du Ciel, de l'eau. »

Quand je l'entendis me répondre en un anglais impeccable, l'étonnement que j'éprouvai fut celui d'un homme à bout de force et sans défense.

« Bien sûr, monsieur, dit-il, je m'excuse, je ne pense à rien. »

Sans doute fit-il un geste, puisque deux hommes me prirent dans leurs bras tout doucement et m'installèrent à l'ombre, tandis que le gentleman en blanc portait à mes lèvres — pas une gourde, mais une coupe en métal — remplie d'eau glacée et pure, qu'il me conseillait de boire très lentement.

Cela me revigora magnifiquement et je lui dis :

« Monsieur, vous m'avez sauvé la vie et je vous suis reconnaissant... pas tant de m'avoir sauvé la vie que de m'avoir offert cette eau, la plus délicieuse que j'aie jamais bue. »

Mon regard se porta sur la coupe. L'extérieur en était givré comme celui d'un verre à cocktail, mais l'intérieur ne l'était pas. Puis, je remarquai la couleur et le poids de la timbale : elle était en or massif.

Un domestique la remplit de nouveau à l'aide d'une aiguière en or et je la vidai cette fois encore. Le gentleman en blanc dit :

« Oui, c'est de la très bonne eau. Elle provient des neiges vierges, donc elle est pure absolument. Mais votre voix me semble familière. »

Je voyageais incognito mais, par courtoisie, il fallait que je donne un nom à mon hôte. Aussi lui dis-je :

« Je m'appelle Mark Harte (empruntant le prénom à un de mes confrères et le nom de famille à un autre). »

Puis, je m'évanouis. Mais avant de perdre connaissance, j'entendis le gentleman en blanc prononcer quelques paroles dans un langage étrange, et j'eus soudain l'impression de flotter dans l'air. Je sais que quelqu'un porta à mes lèvres une tasse emplie d'un liquide amer et effervescent. Alors, plein d'un étrange bonheur, je sombrai dans l'oubli, aussi légèrement qu'un flocon de neige sombre sur du velours noir.

Je m'endormis d'un de ces sommeils qui peuvent durer aussi bien une heure que dix mille ans. Quand je me réveillai, j'étais étendu sur un lit d'une exquise douceur au milieu d'une chambre spacieuse et fraîche, meublée simplement mais luxueusement dans un style qui m'était inconnu. Il y avait une sorte de coiffeuse près de la fenêtre sur laquelle étaient rangés des flacons de cristal à bouchons d'or. Je pense qu'ils contenaient des parfums et des lotions. Des vêtements avaient été disposés à mon intention et je m'habillai.

Au-dessus de la coiffeuse était suspendu un grand miroir biseauté encadré d'or, merveilleusement travaillé, qui me parut à la fois étrange et familier. Le visage que reflétait le miroir ne m'était hélas ! que trop connu. Ma

barbe vieille d'un mois avait disparu. Seule subsistait ma
moustache. Quant à mes cheveux, ils avaient été coupés
et peignés exactement comme je les portais avant de venir
au Mexique. Il y avait aussi des rayonnages chargés de
toutes sortes de livres. Stupéfait, presque effaré, je reconnus quelques-uns de mes propres ouvrages. Sur une table
basse, près de mon lit, je vis une coupe, une aiguière et
une clochette en or. Je pris cette dernière et l'agitai.

La porte s'ouvrit et deux serviteurs entrèrent portant
une table couverte d'une nappe damassée, sur laquelle
étaient posés plusieurs plats creux, tous en or comme leur
couvercle. Un domestique m'avança une chaise. L'autre
déplia une serviette d'un blanc de neige qu'il plaça sur
mes genoux. Puis il souleva les couvercles pendant que
l'autre apportait un seau à rafraîchir, fait dans un bois
sombre curieusement incrusté d'or et travaillé de la même
façon que le miroir. Tout, sauf les verres à vin, était en
or massif. Ces derniers étaient faits de ce merveilleux cristal de roche mexicain. Je pris une flûte à champagne et
remarquai qu'elle avait été taillée d'une seule pièce dans
le cristal, tout comme le verre à vin du Rhin, le verre à
bordeaux, le verre à porto et le verre à liqueur. Chacune
de ces belles pièces avait certainement exigé de nombreux
mois d'un travail patient, méticuleux et extraordinairement habile. L'or n'a jamais eu beaucoup de prix à mes
yeux, sauf quand j'en ai eu besoin, et une telle profusion
de ce métal précieux ne pouvait que le déprécier dans
mon échelle de valeurs. Mais ces verres à vin, taillés dans
le cristal le plus pur, me fascinaient.

Tout en les admirant, j'effleurai de l'ongle un gobelet
et goûtai les harmonieuses sonorités du cristal; c'est alors
que le sommelier sortit sur la pointe des pieds et revint,
poussant une table roulante où était rangé un nombre
impressionnant de flacons de vins des meilleurs crus. Sans

doute avais-je heurté un verre à xérès; toujours est-il qu'il l'emplit en se servant d'une vieille bouteille trapue.

« Attention, mon ami », dis-je en espagnol. Mais il se contenta de s'incliner un peu plus bas tout en faisant un geste gracieux dans la direction du verre.

Je crois que ce xérès avait été mis en fût avant que Napoléon n'ait eu maille à partir avec le duc de Wellington à Badajoz. Le xérès est la pire des choses pour les rhumatisants et j'avais l'intention de n'en boire qu'une gorgée. Or, cette seule gorgée m'inonda à tel point de soleil que j'y fus aussi sensible qu'à la musique espagnole. Mon appétit revint au galop.

Je mangeai comme je n'avais jamais mangé auparavant. Avec chaque plat était servi le vin approprié. A la fin du repas, on m'apporta du café et du cognac. On enleva la table. On la remplaça par un guéridon du même style que le seau à rafraîchir et, sur un grand plateau d'or étaient posés des verres de cristal, une carafe et tous les accessoires qui accompagnent généralement une cafetière en porcelaine de Sèvres.

A ce moment, mon hôte entra et il me fut loisible de l'observer avec plus d'attention.

« J'espère que vous êtes réconforté, monsieur Harte », dit-il.

Je répondis :

« Cher monsieur, c'est vous qui m'avez réconforté. Même dans mes rêves les plus fous, jamais je n'ai imaginé ni un pareil festin, ni une pareille hospitalité. Je ne sais comment vous remercier.

— Votre seule présence est le plus agréable des remerciements. Vous me récompensez, monsieur Mark Harte. Prenons donc une tasse de café et un peu de cognac ensemble. J'espère que vous avez bien dormi. Je pensais qu'il vous serait agréable, en vous réveillant, de vous retrouver res-

semblant davantage au gentleman que j'ai connu et dont
j'ai entendu la conversation — par hasard mais avec le
plus grand plaisir — au *Café Impérial* de Londres durant
le printemps de 1873; et, plus tard, il n'y a pas si longtemps à *L'Ambassador*. Goûtez donc ce cognac. Je crois
qu'il a été distillé à l'époque où Napoléon s'appelait encore le petit Bonaparte. Vous me comprenez, n'est-ce pas,
monsieur Harte ? les grands négociants en vins parlent
toujours de leur Fine Napoléon, mais c'est moi qui possède la dernière douzaine de bouteilles authentiques.

— Vous avez été si gentil, fis-je, que je me sens obligé
de vous dire la vérité. Je ne m'appelle pas Mark Harte.

— Mais je le sais depuis deux jours déjà — car vous
avez dormi quarante-huit heures — et j'étais certain que
vous n'étiez pas Mark Twain, ni Bret Harte, ni Mark
Harte. Vous êtes M. Ambrose Bierce et, pour être tout
à fait franc, je préfère vous avoir vous seul sous mon toit
plutôt que les autres réunis. »

D'un naturel irritable, bien que porté à l'indulgence
par un bon repas, je répétai ce que j'avais dit ailleurs un
millier de fois : Bret Harte était un parvenu sans talent,
vulgaire, qui était arrivé grâce à la flagornerie. Quant à
Sam Clemens — Mark Twain — il avait un peu plus de
valeur, mais pas beaucoup, sinon il n'aurait pas écrit un
ouvrage aussi puéril que *Huckleberry Finn*.

J'aspirai profondément, ce qui déclencha une crise
d'asthme. Un asthmatique devrait savoir qu'il ne doit
jamais aspirer ni brusquement ni profondément même
quand il est sur le point de se lancer dans une violente
diatribe contre ses rivaux. Car alors sa respiration s'arrête
aussi sûrement que si un Turc lui serrait le cou et l'air
qu'il a aspiré ne peut plus sortir, sa poitrine se gonfle
comme celle d'un forgeron et son teint prend la couleur
écarlate de celui d'un général. Voilà le malheureux en

proie à la plus ridicule et la plus pénible des maladies, qui met au supplice celui qui souffre et ceux qui le regardent. Mon hôte agita la petite clochette d'or et aussitôt une femme entra.

Il lui dit trois ou quatre mots dans cette langue inconnue que j'avais entendue pour la première fois en arrivant chez le gentleman en blanc. Elle sortit en courant pour revenir avec une curieuse bouteille à trois becs, un petit pot à pharmacie et un récipient empli d'eau bouillante. Elle versa le contenu du pot à pharmacie dans l'un des orifices de la bouteille et ajouta ce que je crus être de l'eau bouillante. Puis, introduisant deux becs de la bouteille dans mes narines et le bec le plus long entre mes lèvres, elle appliqua les siennes contre l'orifice de la bouteille et se mit à souffler. Je ressentis un picotement qui, d'abord fort désagréable, se transforma en sensation très plaisante. La femme retira la bouteille et je me mis à respirer en toute quiétude.

Mon esprit avait perdu son tour sarcastique.

« Ce n'est que de l'asthme, dit mon hôte de sa voix puissante mais douce. Nous vous guérirons, monsieur Bierce.

— Merci, monsieur, merci. »

J'étais sur le point d'ajouter qu'il ferait fortune en Amérique du Nord en utilisant cette formule mais je me rappelai cette profusion d'or qu'il y avait dans la maison et lui dis au contraire :

« C'est cet asthme qui m'a amené ici... l'asthme et les rhumatismes. J'ai pensé que l'air chaud et sec des hauteurs... »

Mon hôte répondit toujours sur le même ton doux :

« En vérité, monsieur Ambrose Bierce, vous avez raison comme d'habitude. Et comme d'habitude aussi vous avez un peu tort. Vous vous rappelez votre récit intitulé *La*

chose damnée, dans lequel vous parliez de sons que
l'oreille humaine ne saisit pas et de couleurs que l'œil
humain ne perçoit pas ? Ecoutez, monsieur Bierce. Ici, à
cette altitude, nous entendons les sons les plus hauts et les
sons les plus bas : le couic aigu de la chauve-souris et les
grondements des souterrains. Et nous savons... croyez-moi...
nous savons. »

Ses yeux étaient brillants comme des escarboucles et son
visage d'une douceur de miel. Il ajouta :

« Qu'en dites-vous, monsieur Ambrose Bierce ? Chan-
geons de sujet. Racontez-moi vos expériences dans la jungle
d'Oxoxoco ? Avez-vous eu des ennuis ?

— Pas le moindre, sauf la faim et la soif. Une ou deux
fois, j'ai cru voir des visages d'un brun rougeâtre qui
m'espionnaient mais ils ont disparu presque aussitôt. On
eût dit qu'ils avaient peur de moi. »

Mon hôte rit :

« Pardonnez-moi, monsieur Bierce. Ces sauvages n'avaient
pas peur de vous. Ils avaient peur de Tonto.

— J'avais cru que c'étaient mes fusils qui leur avaient
fait peur, monsieur. Mais qui est Tonto ?

— Tonto est un mot espagnol qui signifie idiot, irres-
ponsable, imbécile. C'est le nom du burro sur lequel vous
êtes arrivé. Et puisqu'il vous a porté jusqu'ici, je veux
bien pardonner tous les péchés de cet âne pervers. Permettez-moi de vous dire cependant que si vous aviez monté
un âne ordinaire, lui et vous auriez été assommés et aujourd'hui vous seriez mangés et oubliés. Que grâce soient
rendues à Tonto ! Quand ces sauvages de la jungle aper-
çoivent un des mes burros blancs — et ils les connaissent
bien, ces chiens — ils se cachent ! »

Puis il se leva :

« Tonto, continua-t-il, a toujours été un animal rebelle.
C'est pourquoi, nous l'appelons Tonto. Un animal revê-

che. Ce n'est pas sans raison qu'on appelle un âne, un âne n'est-ce pas, monsieur ? »

Il rit :

« Ça ne servirait à rien de le battre, même si j'en avais envie. On doit gagner l'affection d'un âne ou d'une mule. Sinon, ils se feraient tuer plutôt que d'obéir. Non pas que j'aie jamais battu une bête ou un homme. Nous sommes humains ici, monsieur, et nous réprouvons la violence. Cher monsieur Bierce, sachez une fois pour toutes que vous faites ici ce qui vous plaît.

— Cet âne, ce burro, il me plaît. Je le trouve très sympathique.

— Alors, il est à vous », dit mon hôte.

Après un échange de courtoisie, je lui dis :

« Il y a pourtant quelque chose que je ne comprends pas, monsieur. Vous habitez dans une région tout à fait sauvage, près d'une jungle où vivent des sauvages. Et pourtant, vous êtes installé dans une magnifique maison de pierre. servi par des domestiques qui vaudraient leur pesant d'or même à Mexico. Et à propos d'or, votre vaisselle est en or, vous buvez dans des coupes d'or ou dans des verres de pur cristal de roche. Vous êtes un homme accompli. Vous parlez plusieurs langues d'une façon remarquable. La raison de tout cela m'échappe.

— Monsieur Bierce, je suis le chef d'une très vieille famille — sans doute la famille la plus ancienne du monde. Non, attendez. Je vois surgir sur vos lèvres une question indigne de vous et qui serait insultante à mon égard. Vous allez me demander si je suis venu avec les conquistadores ? Mes ancêtres accompagnaient-ils Cortez ? Eh bien, non. Alors vous allez me demander si mes ancêtres, les Aztèques, se sont réfugiés ici pour échapper aux Espagnols et à leurs chevaux ? Monsieur, vous devez me croire quand je vous dis que les Aztèques étaient des par-

venus par rapport à ma famille. Cette maison dans laquelle
j'ai l'honneur de vous abriter est presque aussi vieille que
la Pyramide de Yucatan. Ne me parlez pas des Aztèques,
monsieur. Sans entrer dans les détails, sachez seulement
que c'était un peuple stupide bien qu'important en nombre. Ma famille, c'étaient des rois avant que les Aztèques
ne sortent en rampant de leur jungle. Le peu qu'ils ont
appris sur l'architecture, la sculpture et d'autres choses,
c'est nous qui le leur avons appris. Avez-vous vu les Pyramides de Yucatan ? Avez-vous jamais vu quelque chose de
plus grossier ? La sculpture aztèque ? C'est comme si vous
mettiez vos doigts dans votre bouche, que vous étiriez vos
joues et rouliez les yeux. Ils ne savent même pas dessiner.
Vous vous en apercevez facilement si vous savez regarder
un corps humain.

« Cette maison est faite de roches volcaniques amalga-
mées par les feux éternels, taillées en cubes, d'une précision mathématique, chaque face du cube ayant la lon-
gueur de mon pas, c'est-à-dire 75 centimètres et — même
si je vous parais manquer de modestie — c'est un joyau
ancien. Les Pyramides d'Egypte elles-mêmes, si on les
étudiait de près, sembleraient ridicules comparées à cette
petite maison. J'imagine que vous allez me poser des ques-
tions sur l'or, etc. Monsieur Bierce, nos réserves d'or sont
presque inépuisables, croyez-moi sur parole. En effet, nous,
le peuple Ancien, n'y attachons aucun prix sauf comme
monnaie d'échange et quelques autres emplois. Person-
nellement, pour l'utilisation courante, je préfère l'argent.
Je trouve que l'argent est plus léger et plus agréable. Et
tandis que je bois dans du cristal — que mes hommes
taillent avec du sable humide comme les Chinois taillent
le jade — je préfère que mes plats soient faits d'un alliage
d'argent, d'or et de cuivre. C'est moins mou que cet or
ennuyeux. Je voudrais essayer un nouvel alliage avec de

l'étain, qui serait peut-être une réussite. Mais je vous ennuie...

— Pas le moins du monde, monsieur, je vous assure. J'allais simplement vous faire remarquer que vous semblez avoir beaucoup voyagé. Vous avez dit m'avoir vu à Londres, à San Francisco et ailleurs.

— Pourquoi pas, monsieur Bierce ? Vous avez certainement remarqué que nous vivons ici d'une manière civilisée. Pendant votre repas, vous avez bu du champagne, par exemple, et j'espère que cela vous a fait plaisir. Et d'où vient-il donc ? De France, bien sûr. Comment est-ce que je me le procure ? C'est très simple : je l'échange contre de l'or dont j'ai une grosse réserve. Vous comprenez ?

— Mais, mon cher monsieur, vous êtes un homme universel. Il me semble que vous parlez couramment plusieurs langues et même des langues que je n'avais jamais entendues auparavant.

— Oh ! je me déplace quand la nécessité s'en fait sentir. Mais c'est ici qu'est ma maison. En outre, je ne parle pas seulement différentes langues, monsieur Bierce, je sais aussi prendre différents accents et parler différents dialectes. »

Et il se mit à imiter un prospecteur de Calaveras, tout en crachant sur le sol et en faisant des grimaces. Je lui répondis du tac au tac.

Nous nous serrâmes la main comme de vrais Californiens. Ses doigts ressemblaient à ceux d'un médecin qui palpe vos articulations une par une. Il me dit :

« Nous parlions tout à l'heure de rhumatismes. Nous allons d'abord alléger vos souffrances et ensuite vous guérir. Rien de plus simple à condition que vous oubliiez votre pudeur.

— Ma pudeur mise à part, quel est votre traitement ?

— Il y a deux traitements. Le traitement préliminaire consiste en une sorte de massage. On vous a déjà massé

sans doute dans les bains turcs ou dans les hammams de
différentes grandes villes. Mais vous n'étiez massé que par
dix doigts. Or, mes masseuses à moi, ont 70 doigts. C'est-
à-dire qu'il y a sept masseuses qui s'occupent de vous.
Chacune d'entre elles soigne une articulation, un muscle,
ou les points où certains nerfs se croisent. Ces sept femmes
— excusez-moi mais il n'y a que des femmes qui savent
le faire — travaillent en même temps avec une parfaite
coordination. On les forme dès l'enfance en vue de ce métier. Elles vous prépareront au second traitement qui est
sonique.

— Sonique ? Alors, monsieur, ce traitement appartient
au domaine du son ?

— Exactement, monsieur Bierce. Mes masseuses vous
prépareront à ce second traitement qui fera disparaître les
cristaux qui se trouvent dans vos articulations et qui vous
font souffrir. Bien que vous soyez très perspicace, vous
ne comprenez pas. Tenez, je vais vous montrer. »

Cet homme extraordinaire prit un verre de cristal qu'il
jeta par terre. Il rebondit; je poussai un gémissement, et
le verre, intact, s'immobilisa. Il le ramassa et le posa sur
le guéridon.

« En fait, monsieur Bierce, sauf si on le heurte brutalement, ce cristal est incassable. Mais regardez attentivement. »

Tandis que je le regardais, il fit tinter le verre avec son
ongle. Le cristal émit une note merveilleusement mélodieuse, dans le ton du *ré* majeur. Il écouta avec beaucoup
d'attention. Puis, emplissant ses poumons d'air, poumons
puissants comme ceux d'un homme qui vit dans les hautes
régions, il reproduisit dans le verre le même *ré* majeur.
Seulement cette note qu'il reproduisit avait une force et
un volume énormes. Le verre frémit, sembla danser et tout
à coup éclata en mille morceaux.

Il dit :

« Il faut toujours penser à la cohésion naturelle des particules. Les particules, ou atomes, de toute matière, vivante ou morte, obéissent à certaines lois naturelles de cohésion. Elles obéissent à leurs propres vibrations, monsieur Bierce. En utilisant le son, et le son seulement, j'aurais pu rendre ce verre ou très lourd ou très léger. Et quand vous serez détendu, presque inerte, je trouverai la vibration exacte et, grâce au son adéquat, je briserai les petits nodules en éliminant les acides qui vous causent tant de douleur. Cela, si vous êtes d'accord, bien entendu. Uniquement si vous êtes d'accord.

— Si vous pouvez me débarrasser de ces souffrances, comme vous n'avez débarrassé de ma crise d'asthme, je suis entièrement d'accord. »

Il agita la petite cloche d'or. Un domestique se présenta aussitôt. Il lui donna un ordre dans cette langue étrangère que chacun parlait dans cette maison. Puis s'adressant à moi dans un anglais impeccable :

« Puis-je vous demander d'avoir l'amabilité d'enlever votre robe de chambre ? A propos, je tiens à vous dire que les vêtements que vous portiez en arrivant ont été nettoyés et réparés : ils ont l'air tout neufs. Vos souliers aussi. Ils sont dans le placard près de la porte, avec votre fusil, votre revolver et votre machette. Comprenez-moi bien : mon plus cher désir est que vous soyez parfaitement satisfait. Vous n'avez qu'à exprimer un souhait : il sera réalisé. Peut-être trouvez-vous cela un peu bizarre, monsieur Bierce ?

— Délicieusement bizarre.

— Si l'on se place d'un point de vue ordinaire, c'est vrai. Mais j'appartiens au peuple Ancien et nous vivons conformément à l'esprit de grandeur. J'ai envoyé des messages au nord, au sud, à l'est et à l'ouest, aux différents

membres de ma famille. Ils seront tous réunis ici dans un
mois et alors... »

C'est à ce moment que huit femmes entrèrent dans la
pièce. Un anthropologiste aurait eu beaucoup de peine à
définir leur race. Probablement leurs crânes avaient-ils été
enserrés dans des bandelettes dès leur naissance car ils
étaient curieusement coniques, leurs visages avaient la
couleur du café clair et presque pas d'expression. Lorsque
je fus allongé sur le lit, sept des femmes prirent place
autour de moi. La huitième portait une coupe d'or emplie
d'une huile aromatique. Elle la tendit aux autres qui y
trempèrent leurs mains.

Le massage commença tel que mon hôte me l'avait
expliqué — centimètre par centimètre, nerf par nerf, muscle par muscle — soixante-dix doigts habiles s'affairèrent
en parfaite coordination. Il y avait aux Bains turcs de
Covent Garden un masseur avec une barbe rousse que je
considérais comme un maître dans sa profession. Il arrivait à vous débarrasser d'une indigestion, de douleurs
musculaires ou de la migraine, par une simple application
de ses doigts souples et habiles. Il s'appelait Jim. Chacune
de ces sept femmes valait bien dix Jim. Je ne me sentais
pas trop mal avant que la séance ne commence mais elles
m'apportèrent une paix que je me croyais incapable de
ressentir.

Je m'endormis alors qu'elles travaillaient encore. J'ignore
combien de temps elles me massèrent mais le soleil se couchait lorsque je m'éveillai. De nouveau j'avais faim et
soif. J'agitai ma petite clochette et les deux hommes qui
m'avaient déjà servi apparurent, munis cette fois d'une
table plus grande, dressée pour deux. Mon hôte, anticipant
mes désirs, allait dîner avec moi.

« Au cours de ce dîner, m'expliqua-t-il, vous ne devez
manger que de la viande blanche : des volailles, du veau

mort-né, ou du poisson. Par conséquent, vous ne boirez que du vin blanc. En effet, une heure après la digestion et après avoir fumé un bon cigare, il vous faudra venir avec moi pour achever le traitement. Vous ne souffrirez plus ni de rhumatismes, ni d'arthrite, ni de goutte. Croyez-moi, monsieur Bierce, c'est l'esprit qui nous fait vivre ici et, une fois débarrassé de la douleur et de la haine, délivré de la nécessité de gagner sa vie, vous serez un des plus grands esprits de ce temps. Et je désire que vous deveniez l'un d'entre nous. Nous allons vous rendre parfait. »

Je mourais d'envie de lui dire que je ne désirais pas devenir parfait, que la perfection est pour les saints et pour les dieux, et que je n'avais aucune ambition de ce genre. Ce n'est pas sans raison que l'on m'avait surnommé « Amère Ambroisie ». Certaines âmes se nourrissent d'amertume. Seuls les imbéciles aiment le sucre. Seuls les fous recherchent la perfection. Mais je me sentais trop bien pour discuter. Mon hôte avait été plus que bon pour moi, et bien que je sois né fils de fermier, j'ai en moi quelques instincts du gentleman.

« Prenez un cigare, si vous en avez envie, mais le cognac, ce sera pour plus tard. Tout à l'heure, vous aurez tout ce que vous voudrez, car plus rien ne pourra vous faire souffrir, monsieur Bierce. J'ai fait tuer un jeune bœuf et dépecer le filet. J'ai fait tuer aussi un mouton de cinq ans, bien nourri, bien engraissé, bien abattu. Nous en mangerons la selle. »

Puis, après avoir endossé un costume semblable au sien, je le suivis à travers un labyrinthe de corridors, de pièce en pièce, de plus en plus bas, jusqu'à l'intérieur de la montagne où nous débouchâmes dans une large grotte. On pourrait mettre la cathédrale de Saint-Paul de Londres tout entière dans la basilique Saint-Pierre de Rome, mais Saint-Pierre de Rome aurait semblé perdue dans l'immen-

sité de cete grotte. Il s'y trouvait un singulier objet qui
me fit demander :

« Est-ce un orgue, monsieur ?

— Une sorte d'orgue, dit mon hôte. Mais un orgue
d'une telle sorte qu'on n'en verra jamais d'autre semblable,
si j'ose dire. Vous devez savoir que les Indiens de Yucatan
utilisent ce qu'ils appellent des « tuyaux d'eau », qui
sont composés d'une série de poteries de taille différente
au haut desquelles est fixé une sorte de sifflet. Grâce à un
robinet primitif, ils amènent l'eau en premier dans la
grande poterie. L'eau en montant, comprime l'air qui, en
s'échappant par le sifflet, émet un certain son. Puis, l'eau
ayant atteint un niveau déterminé, tombe dans la poterie
suivante et ainsi de suite jusqu'à ce que l'air soit empli
d'une musique mystérieuse. Ce doit être, continuait-il
comme s'il pensait à haute voix, une tradition de notre
peuple. Système sommaire, primitif incontestablement, mais
légué par le peuple Ancien, qui utilisait le son à ses fins
véritables bien avant que l'Atlantide ne s'enfonçât dans
la mer. Donc, ce qui vous semble être des tuyaux d'un
orgue colossal sont en vérité des « tuyaux d'eau ». C'est
l'âge qui les a patinés mais la plupart sont en or massif.
Le plus grand, qui a la taille de cinq barriques, est fait
d'or massif. Le suivant est en argent. Les cinq à la suite
sont faits d'or et de bronze. Il y en a quatre-vingt-treize
en tout. Vous, monsieur Bierce, vous avez parlé dans vos
livres de couleurs que l'œil humain ne peut pas voir, et de
sons que l'oreille humaine ne peut pas entendre. Vous
ne pourriez pas entendre le plus grand tuyau parce que
le son en est trop bas. Pas plus que vous ne pourriez
entendre le quatre-vingt-treizième qui est plus mince qu'un
crayon, parce que la note qu'il émet est plus aiguë que le
couic de la chauve-souris. Maintenant, enlevez vos vêtements et étendez-vous sur la soupape de l'orgue. Fermez

les yeux, ouvrez la bouche et restez tranquille pendant
que je vérifie le débit d'eau. »

Je demandai :

« Et maintenant que va-t-il se passer ?

— Il y a des sons que l'oreille humaine ne peut pas
percevoir, monsieur Bierce. Donc vous ne les entendrez
pas. C'est à peine si vous les sentirez. Respirez profondément et arrêtons-nous de discuter. Ecoutez et dites-moi ce
que vous entendez.

— J'entends l'eau qui coule, un ruissellement d'eau mêlé
à quelque bruit fait de mélodie et du fracas du tonnerre.

— Ah ! C'est le grand tuyau qui se remplit. Maintenant,
attendez. »

Mon hôte me tendit cette boisson amère et pétillante
que je me rappelais très nettement. Puis, comme au travers
d'un voile, j'éprouvai un agréable engourdissement tandis
que, de la basse à l'alto, les tuyaux émettaient leur musique. Je les sentis plutôt que je ne les entendis. Cela
commença par une sensation qui me parcourut la nuque
et le cervelet, qui gagna ensuite mes poignets, mes coudes,
mes hanches, mes genoux et mes chevilles. Bientôt cette
extraordinaire vibration, commandée, semblait-il, par mon
hôte atteignit ma gorge. Eussé-je eu la volonté de dix
hommes, je n'eusse pas pu résister à cet envoûtement. A
la vérité, je ne m'évanouis pas complètement, je perdis
doucement conscience.

Chacun sait que je suis un homme qui possède une certaine force de volonté. Je gardai le contrôle de mes sens
aussi longtemps que je le pus. Je me rendais compte que
mes articulations étaient parcourues d'étranges vibrations.
Enfin, je quittai le monde pour sombrer dans un profond
sommeil. La dernière chose que je me rappelle se passa
dans l'immense grotte : c'était le sifflet intolérablement

aigu du tuyau le plus mince, bizarrement mêlé au triste
tonnerre du grand tuyau. On eût dit que je fondais.

« Nous ne voulons que votre esprit », dit mon hôte.
Je ne pouvais pas parler mais je me souviens de m'être
dit : « J'espère que tu l'auras. »

Bientôt la musique mourut. Tout ce que j'entendais,
c'était le ruissellement de l'eau qui s'écoulait. Quelqu'un
m'enveloppa dans une couverture souple et on me ramena
dans ma chambre en me faisant passer cet interminable
labyrinthe de couloirs. Une fois étendu sur le lit, je repris
mon sommeil à peine interrompu.

Je ne m'éveillai que le lendemain vers midi. L'un de
mes domestiques me conduisit dans un bain chaud délicatement parfumé au bois de santal. Une fois encore, on
m'avait rasé pendant mon sommeil. On avait posé également à côté de moi un costume blanc, une chemise de
soie fine et une cravate noire. Les boutons de chemise et
de manchettes ainsi que l'épingle de cravate étaient faits
de perles assorties. J'étais habillé lorsque mon hôte entra.

« N'est-ce pas, monsieur Bierce, me dit-il, que notre
traitement est vraiment efficace ?

— Je ne me suis jamais senti aussi bien de toute ma
vie, répondis-je.

— Ça ne m'étonne pas le moins du monde. Et vous
allez vous sentir mieux à présent. Il n'y aura pas lieu de
recommencer le traitement. Toutefois, je me permettrai de
vous conseiller de boire quelques gorgées de ce remède,
après avoir déjeuné et vous être un peu reposé. Vous en
prendrez encore deux ou trois fois et votre asthme sera
définitivement guéri. Quant à vos rhumatismes, monsieur,
considérez que vous en êtes débarrassé pour toujours.
Mais, si vous n'y voyez pas d'inconvénient, je demanderai
aux sept Sœurs de vous masser chaque soir avant de vous
endormir, pour vous rendre gras et souple. Reposez-vous,

je vous en prie... et détendez-vous. Prenez donc un siège
et déjeunez de bon appétit. Me feriez-vous le plaisir de
boire un verre de xérès avec moi ? Ah !.... je vois que l'on
vous a servi une selle de mouton. Il faut que vous y
goûtiez. C'est un mouton de race galloise. Préférez-vous
des câpres ou de la gelée de groseille ? Il faut que vous
mangiez, monsieur Bierce. Il faut que vous vous reposiez
et que vous vous sentiez heureux ici. Bientôt ma famille
— ou tout au moins ce qu'il en reste — sera ici. Nous
organiserons un véritable festin et il faut que vous soyez
des nôtres. Permettez que je vous serve. »

Nous portâmes des toasts, un chacun à la santé de
l'autre, puis il me quitta. Le mouton était excellent. Je
mangeai également quelque chose qui, même si ce n'était
pas du fromage de Stilton macéré dans du porto, y ressemblait étrangement. J'ouvris la porte du placard et y
vis mon vieux costume remis à neuf. On avait simplement
remplacé mon sombrero en paille par un magnifique
panama doublé de soie verte. Ma carabine, nettoyée et
graissée, et mon revolver s'y trouvaient également. Les
deux armes étaient chargées. Ma machette était dans son
étui : on en avait poli le cuir avec un os, comme les
soldats anglais polissent l'étui de leurs baïonnettes. Il
brillait tel un miroir. Pour m'être agréable, mon hôte
avait fait mettre dans le placard une canne en bois rare
de la jungle avec une poignée en or pur qui avait la
forme d'un lézard dont les yeux étaient faits d'émeraudes.
Je coiffai mon chapeau, pris la canne et me préparai à
aller faire un tour.

Un domestique me mena dehors. L'air était agréable et
frais. Au loin, dans le fond de la vallée, j'apercevais la
jungle épaisse et fétide. Mais ici, sur les hauteurs, tout
était doux et pur. Je me rendis compte que la demeure,
haute d'un étage seulement, couvrait une très grande

superficie. A quelque distance de là se dressait une maison plus petite et plus modeste qui, comme je l'avais deviné, était réservée aux domestiques. Plus loin, il y avait deux bâtiments, tous construits avec cette vieille pierre volcanique et dure comme le diamant. De l'un de ces bâtiments me parvint le braiment d'un âne. J'allai dans cette direction : je vis des mules et des chevaux tout blancs et, séparés d'eux, des burros blancs bien nourris et propres. J'appelai :

« Tonto, tu es là ? »

Et bien sûr, ce vieil ami que j'avais acheté pour trois dollars, couverture et licou compris, vint au-devant de moi en courant pour se faire caresser. Je lui parlai d'un ton affectueux :

« Alors, Tonto, mon vieux copain, il me semble bien que j'ai une dette de reconnaissance envers toi. Cher petit burro, tu m'as rendu un fier service en m'amenant ici. Oui, Tonto, toi et moi, nous devons avoir quelque chose en commun. On a la bougeotte, hein, Tonto ? On est des misanthropes. Dis-moi lequel de nous est le plus âne des deux. Toi, tu en es un fameux pour avoir abandonné une mangeoire aussi bien garnie et être allé vivre à Oxoxoco, même chez une femme aussi vertueuse que la veuve de Diego. A bientôt, mon ami ; à bientôt, Tonto. »

Je pris lentement le chemin de la maison en faisant tournoyer ma canne.

Mais j'éprouvais une certaine inquiétude que je ne pouvais pas définir. Mon hôte m'attendait. Lui aussi portait un chapeau de Panama, mais la poignée de sa canne était faite d'une matière rouge et translucide.

Il vit la curiosité dans mes yeux et dit :

« Elle est taillée dans un bloc de rubis. A Paris, on dit qu'un rubis pareil vaut une fortune. Ici sa valeur est purement symbolique. Tiens, échangeons nos cannes. Que

votre santé reste bonne aussi longtemps que vous la por-
terez. »

Il prit ma canne à pommeau d'or et mit entre mes mains
la sienne à pommeau de rubis. J'ai vu des rubis dont la
taille n'atteignait pas le vingtième de celui-ci et qui étaient
évalués à dix mille dollars.

M'accablant de compliments, il me conduisit à ma
chambre, suivi des deux domestiques :

« Il faut vous reposer, me dit-il. Le traitement d'hier
secoue sérieusement l'organisme. Vous avez vécu en Angleterre. Y avez-vous pris cette habitude bien anglaise de
boire du thé l'après-midi ? De toute façon, on va vous
en monter, avec des toasts beurrés et des buns à la
cannelle... Je veux vous voir gras et cordial, monsieur
Bierce, plein de dynamisme et d'énergie, éclatant de vie.
Il ne faut pas vous surmener.

— Je ne me surmenais pas, monsieur, je suis simplement allé faire des politesses au burro qui m'a amené ici.

— Ah ! le petit Tonto ? C'est un animal dont la conduite est imprévisible. Il a mauvais caractère et est parfois
saisi par le démon du voyage. Je vous en prie : reposez-
vous et si vous désirez quoi que ce soit, il vous suffira de
sonner... Mais avant de vous allonger... »

Il fit un petit geste et un serviteur apporta une coupe de
cette boisson amère et pétillante, et il me dit :

« Buvez ceci pour détendre vos nerfs. C'est bon pour le
sang et donne de l'appétit. Cela libère l'esprit en le ren-
dant plus clair, pour ainsi dire. »

Je bus et m'allongeai. Mais bien que l'effet soporifique
de la drogue se fit sentir, l'inquiétude revint. J'étais sur
le point de m'endormir, lorsque je me redressai en me
frappant le front : j'avais trouvé la raison de tout cela.
Voilà : j'étais trop heureux et j'étais si peu habitué à cet
état que les soupçons les plus noirs s'éveillaient en moi.

Des pensées follement confuses et indescriptiblement sinistres me traversaient l'esprit. En dépit du confort qui m'entourait et de la courtoisie respectueuse dont j'étais l'objet, j'avais l'impression que quelque chose, quelque part, allait mal... d'une manière démente et inhumaine.

Pourtant, je dormis paisiblement et ne m'éveillai que lorsque les sept masseuses accompagnées des porteuses de coupes arrivèrent. Encore une fois, après qu'on m'eut massé et habillé, les domestiques dressèrent la table et mon hôte entra tout souriant.

« Je parierais, dit-il, que vous vous sentez trente ans de moins. Il suffit de vous regarder pour en être sûr. Je suis ravi de vous voir aussi bonne mine et j'espère que vous allez faire honneur au filet. Mon petit troupeau est d'une race très réussie : moitié anglaise, moitié écossaise. Ce sont des bêtes que je réserve seulement pour ma table.

— J'ai un appétit d'autruche, dis-je, et je digère aussi bien que cet oiseau. Je suis sûr que je suis en train d'engraisser.

— D'ici à ce que ma famille soit réunie au grand complet, vous serez dans une forme parfaite, monsieur Bierce. Alors nous ferons un véritable festin... » Il s'arrêta brusquement et ajouta : « ... de l'esprit... de l'esprit. »

Il me regarda avec une attention bizarre et me supplia de goûter un avocat fourré d'une farce particulièrement savoureuse et riche.

Malgré mes soupçons indéfinissables, je dévorai comme un garçon de quinze ans. Mon hôte dîna avec moi, mais, ce soir-là, il parut empreint d'une sorte de lassitude nostalgique. Il dit :

« J'ai le moral bas cette nuit. J'ai besoin de me remonter moralement. Enfin, maintenant, il ne me reste plus longtemps à attendre... »

Il me versa un verre de ce remarquable cognac et dit :

« Je vais en boire avec vous et ensuite il faut que j'aille dormir. Et vous aussi, il faut que vous vous reposiez. Dans quelques instants, on va vous apporter votre médicament. Allons, bonne nuit et je vous souhaite de beaux rêves. »

Mais je ne bus pas le médicament. Je prétendis que j'étais fatigué de ne rien faire et d'être heureux, et que je voulais réfléchir. Pourtant je m'assoupis un peu et peut-être même m'endormis-je. Soudain une pensée effrayante me traversa l'esprit. Saisi d'une panique qui me glaça le sang, je repris complètement conscience. Je me rappelai avec angoisse ce que mon hôte m'avait dit auparavant : « Bientôt ma famille sera ici. Nous organiserons un véritable festin et il faut que vous soyez des nôtres. » Je me rappelai aussi qu'il m'avait parlé d'un festin de l'esprit. Alors je me souvins de certaines pratiques canni-bales de quelques races anciennes qui croient, en man-geant un morceau de chair, d'un ami ou d'un ennemi mort, absorber un peu de l'intelligence et de l'esprit du défunt. Tout à coup, je compris la terreur mortelle qu'ins-piraient les gens de cette montagne. Et, pour la première fois, humant ma peau, je compris pourquoi l'huile dont on m'avait oint le corps était si agréable à sentir : je reconnus l'odeur du thym, de la sauge, du basilic, de la marjolaine, du laurier et de la menthe, herbes en vérité, qui sont utilisées non pas dans l'art de guérir mais dans celui de la bonne cuisine. C'en était assez...

Donc pour mettre de l'ordre dans mes pensées et pour passer le temps, j'ai écrit ce qui précède dans un carnet de notes. J'ai l'intention, au cas où je serais pris et fouillé, de rouler ces pages fines et de les introduire dans un endroit auquel nul ne pensera : dans l'un des becs de la bouteille à inhalation qui se trouve sur la coif-feuse. Ensuite, je mettrai mes vieux vêtements, je pren-

drai mes armes, je me rendrai à l'écurie et j'appellerai
Tonto, le burro. Il a bien su aller une fois seul à Oxoxoco,
il n'y a aucune raison qu'il n'en soit pas capable une
seconde fois. Une chose est certaine. Aucun sauvage n'osera
me toucher lorsque je serai sur son dos... Et une fois dans la
jungle, avec trois heures d'avance, je n'aurai rien à crain-
dre que la soif. C'est à contrecœur que je laisserai la canne
au pommeau de rubis mais, bien que fils de fermier de
l'Ohio, je crois avoir néanmoins des instincts de gentleman. De toute façon, avec tout ce que j'ai déjà comme
équipement, ce ne serait pas commode à transporter. La
lune se couche. « Carabine, revolver, machette, gourde et...
en selle. »

Signé : Ambrose Bierce,
Mai (?) 1914

Vous venez de lire le manuscrit découvert dans la bouteille d'Oxoxoco. Les autorités n'ont pas voulu le publier
de crainte d'avoir été mystifiées. Mais à mon avis, ce texte
est authentique. Le récit est sans aucun doute écrit de la
main d'Ambrose Bierce. Si cette écriture ne ressemble pas
à celle d'un vieillard, c'est parce que l'écrivain avait été
délivré de ses rhumatismes. L'homme en blanc ne voulait-il pas qu'il soit dans une « pleine forme » pour par-
ticiper... au « festin de l'esprit » ?

Mais comment est mort en vérité l'un des plus grands
Américains de notre époque, nous ne le savons pas. Il est
possible qu'on l'ait poursuivi et rattrapé dans la jungle
avec Tonto — ce qui, j'espère, n'est pas le cas. Il est possible qu'il soit mort dans la jungle. Il est possible qu'il ait
pu gagner Oxoxoco et, comme on le croit en général, qu'il
y ait été tué par Pancho Villa. Une chose est certaine :
l'homme en blanc, sa maison, ses richesses, sa tribu ont
disparu dans un tremblement de terre quelques années

plus tard. Toute la région est aujourd'hui recouverte par une couche épaisse de dures pierres volcaniques, si bien qu'il est inutile d'y chercher la réponse à l'énigme.

Moi, je suis convaincu encore aujourd'hui qu'il s'agit là de l'unique compte rendu authentique des derniers jours de « l'amère Ambroisie », alias Ambrose Bierce.

MONSIEUR, JE NE VOUS ENTENDS PAS

de

AVRAM DAVIDSON

BLOODGOOD BIXBEE ne savait rien en matière d'art mais il savait bien ce qu'il n'aimait pas. Ce qu'il n'aimait pas, disait-il d'une voix forte et avec une insistance de béotien — c'était d'être pris pour une poire... Vous me comprenez ?

Milo Anderson comprenait très bien. Il savait qu'il n'aurait jamais dû vendre à Bixbee un faux Wilson Peale, pas plus qu'il n'aurait jamais dû toucher d'avance les 5 % de ce contrat dont il savait qu'il ne serait jamais conclu. Mais il restait si peu de gens qu'il pouvait encore tromper dans cette ville... et il avait tellement besoin d'argent... Il avait trop espéré que Bixbee n'oserait pas avouer qu'il avait trempé dans une affaire illégale. Bien sûr, il n'avait pas parlé au riche négociant en bois du nuage qui masquait le titre du tableau, mais ce n'était pas ce scrupule qui l'empêchait de dormir. En fait, cette tractation avec Bixbee ne l'avait à aucun moment empêché de dormir, car, qui à Qualliup (Washington) était capable de faire la différence entre un Wilson Peale et une toile à laver ? Une seule chose l'avait préoccupé : déposer assez tôt le chèque à la banque. Ensuite, se précipiter au téléphone...

Les chèques, les coups de téléphone, les chèques, les coups de téléphone, etc.

Qu'ils aillent tous au diable avec leurs mains d'avares toujours tendues et leurs grandes g...

A voleur, voleur et demi...

Bloodgood Bixbee n'était-il pas un voleur lui aussi, volant le bois et dévastant les forêts d'un bras impitoyable ? Bien sûr que si. Et il avait suivi le processus habituel : afin de passer pour un homme cultivé, il avait accroché sur ses murs des tableaux de maîtres signés. Comment diable avait-il découvert l'escroquerie ? Etait-il possible qu'il existât à Qualliup quelqu'un comme Edmund Hart Ransome de qui Milo tenait la toile ? Non, c'était impossible. L'état de Washington tout entier était trop neuf pour intéresser le vieil Edmund Hart Ransome qui se préoccupait seulement de ce qui était antérieur à 1700.

Anderson passa en revue la liste des gens avec qui il avait été en affaire. Parmi eux, il devait bien y en avoir au moins *un* qui consentirait à l'aider : à lui avancer de l'argent en échange d'une collaboration future.

Il composa un numéro non mentionné dans l'annuaire, en ravalant sa salive. Il entendit au bout du fil une voix d'homme à la fois calme et méfiante :

« Oui ?

— Ovlomov ? Il ne faut pas que je...

— Qui est à l'appareil ? demanda la voix.

— Quelqu'un qui a déjà fait des affaires avec M. Ovlomov.

— Mais, monsieur, vous ne savez donc pas que M. Ovlomov a regagné aujourd'hui son pays natal ? Vous devriez lire les journaux... Non, non... Je ne m'intéresse nullement aux relations de M. Ovlomov. Il est d'ailleurs inutile de rappeler. La ligne va être supprimée. M. Ovlomov était un homme très imprudent. »

Milo, pauvre petit margoulin, n'avait rien d'un escroc de grande envergure et il n'était pas près d'en avoir fini de courir après les chèques et de donner des coups de téléphone à des gens qu'il faisait chanter (et dont il ne tirait que de maigres sommes) et à des gens qui le faisaient chanter, lui, et à qui il versait de grosses sommes. Pendant un temps, il avait mené la vie facile en habitant dans la maison du vieux Ransome.

Dans quelques jours, le bail viendrait à expiration : ça, c'était encore un autre problème.

Cette toile lui appartenait bien à lui : Ransome la lui avait léguée, d'une façon clairement spécifiée dans le testament. C'était là le côté diabolique de l'histoire : avant de spécifier « tout le reste de mes biens qui se trouvent dans mon appartement » que le vieil homme lui avait « légués », il s'était donné la peine d'énumérer un par un chaque objet que Milo lui avait volé... Donc Ransome avait *su*. « Et ce legs, je le fais pour une raison bien connue de mon secrétaire, le dénommé Milo Anderson. » Il avait insisté. Il insistait toujours. « Des chevaux rapides et des femmes lentes, hein, Mr. Anderson ? » C'était sa manière d'insister.

Peut-être eût-il mieux valu ne pas mélanger les médicaments du vieillard. Mais ç'avait été si facile... Et ça s'était passé si vite après la visite du médecin. Aucune peine pour obtenir le certificat de décès... « Tout le reste de mes biens... pour une raison bien connue de mon secrétaire, le dénommé Milo Anderson. »

Mais il ne restait plus grand-chose dans l'appartement aujourd'hui.

Aujourd'hui, tous les ennuis arrivaient en même temps. Bloodgood Bixbee réclamait le remboursement de son argent et menaçait de tout casser s'il ne l'obtenait pas immédiatement. Big Patsy, le bookmaker, réclamait l'argent des mises et le voulait tout de suite, sans menaces mais en promettant... Et Mrs. Pritchard d'une voix douce-reuse comme le miel : « Il y a longtemps que vous êtes inscrit dans la colonne des débiteurs sur nos registres, Milo... J'ai été gentille avec vous... nous avons tous été gentils avec vous. Maintenant, nous avons besoin de cet argent parce que le Syndicat va venir vérifier les livres demain. Et vous savez ce que *ça* signifie, Milo. »

Il le savait. Il ne le savait que *trop bien*. Il le savait même avant que le téléphone sonne et que la voix (une voix vulgairement rauque, sans violence, comme celle du chauffeur de taxi qui demande « Où est-ce qu'on va ? » ou celle du blanchisseur qui présente sa note) dise :

« Anderson, prépare-le. Prépare l'argent. On va venir le chercher après minuit quand on passera dans ton quartier. »

En finissant la phrase, la voix semblait lasse d'avoir été obligée de donner tant de coups de téléphone.

Milo Anderson jeta un coup d'œil sur l'appartement. Au-dessus de la cheminée, dont il avait vendu le marbre, on voyait la marque qu'avait laissée la prétendue toile de Wilson Peale. Cette toile qui était aujourd'hui suspendue au-dessus du poste stéréophonique, maintenant silencieux, dans la maison de Bloodgood Bixbee à Qualliup (qui se soucie d'un poste haute fidélité quand on peut avoir la télévision ?). Là-bas il y avait le meuble qui avait contenu les pièces anciennes : vieux shillings anglais et indiens, demi-réales, sequins, etc. Tout était vendu à présent et bien vendu. Mais l'argent était dépensé depuis longtemps. Il semblait qu'il y avait bien longtemps... Big Patsy, Mrs. Pritchard et tous les autres... La maison d'Edward Hart Ransome avait été bourrée de trésors des années 1700 mais aujourd'hui presque tout avait été vendu ou mis en gage sauf quelques meubles essentiels. Ceux-ci avaient déjà été évalués et ne rapporteraient qu'une toute petite partie de l'argent indispensable.

Milo Anderson n'était pas plus peureux que la plupart

des hommes, peut-être même l'était-il moins. Mais, en ce
moment, il était trop accablé par les soucis. Tout le
monde le harcelait et lui, en retour, ne pouvait harceler
personne. En tout cas, pas *maintenant,* pas *cette nuit...* Tel
un homme affamé qui ouvre, referme et ouvre de nouveau
son réfrigérateur et son buffet, se disant : « Il doit bien y
avoir *quelque chose*. Il faut que je regarde encore », Milo
errait dans l'appartement plein d'ombre. Il regardait, ins-
pectait, espérait et craignait tout à la fois, s'attendant à
découvrir quelque chose à vendre, quelque chose qu'il
aurait oublié, *quelque chose enfin...*

Le corps couvert de sueur, les genoux mous, il arpentait les pièces où il ne restait plus que ce que les acheteurs
avaient refusé. Des soufflets, des bûches, des trépieds (trois
cents la douzaine au Marché aux puces), des rouets moder-
nes, des râpes à noix muscade, des claies à fruits... et *cette*
satanée chose. Qu'est-ce que ça pouvait bien être ? Le marchand avait ri simplement. Milo était sur le point de
l'envoyer balader d'un coup de pied, mais grognant et
soupirant profondément, il se mit à l'examiner nonchalamment.

C'était un petit meuble, en forme de coffret. Il le regarda
de plus près et vit qu'il était en bois de cerisier, bois à la
mode au XVIIIᵉ siècle. Il y avait quatre pieds et, sur *un*
côté se trouvait une petite roue et sur *l'autre* côté, on
voyait un petit entonnoir en cuivre ou en bronze qui
dépassait... Etait-ce vraiment un entonnoir ? Il tourna la
corne en métal et, sous la pression, elle bougea. Il déplaça
la roue : rien ne se passa. Ce n'était pas normal car aucun
artisan de la période coloniale n'aurait perdu du temps
à prévoir un appareil qui n'aurait *servi* à rien. Il fit de
nouveau tourner la roue et une clochette tinta à l'intérieur.

Evidemment, une boîte comprend toujours l'intérieur
et l'extérieur. Pourquoi n'avait-il pas regardé à l'intérieur?

Il poussa une cheville têtue : les gens cachaient toujours de l'argent à l'intérieur de... « Ça y est. » Le panneau s'ouvrit sans peine. La clochette tinta de nouveau. C'était une minuscule clochette d'argent posée sur une boucle d'argent dans le coin supérieur. Une petite corne noire (de veau ou de bison ?) était suspendue à un amas de fils. Des fils de cuivre partaient de la plus petite extrémité de la corne, et un parchemin en forme de tambour recouvrait l'extrémité la plus large de la corne. Bien calés derrière une plaque de verre se trouvaient deux récipients de verre, doublés d'une feuille métallique.

Il fallait trouver un marteau et... la clochette tinta pour la troisième fois. La mort, pensa-t-il, le guettait. Et il était là, en train de jouer avec un jouet ancien. Il saisit la corne avec l'intention de l'arracher. Mais il la porta à son oreille. Aussitôt, il la laissa tomber et sursauta.

« Votre correspondant, monsieur ? »

Voilà ce que la corne lui avait dit à l'oreille. A moins que ce ne fût : « Vous êtes en correspondance... ? » Qu'est-ce que c'était donc que cet appareil ? Une boîte à musique à voix humaine, un phonographe primitif, un... Non, le seul appareil connu de lui auquel cet objet ressemblait, c'était le téléphone. Il pensa, sans s'arrêter pour autant de raisonner sur son geste qui lui faisait oublier momentanément ses soucis :

« Voyons. C'est une corne de buffle que j'ai portée à mon oreille, à laquelle je m'adresse... Hem... un tube de cuivre (un entonnoir, une trompette ?). »

Se sentant un peu ridicule, il dit (et qu'aurait-il pu dire d'autre ?) :

« Allô ? »

La voix bizarre répéta à son oreille ce qu'elle avait déjà dit.

Milo demanda :

« Correspondant de quoi ?

— De qui, monsieur », corrigea la voix.

Puis, comme Milo demeurait stupéfait et silencieux, la voix reprit :

« Je ne vous entends pas, monsieur. Je vous prie de consulter le compendium, monsieur, pour trouver le chiffre du correspondant que vous désirez obtenir... Votre serviteur, monsieur.

— Allô ! Allô ! Hé ! »

Il alla jusqu'à siffler sur le mode aigu mais il n'y eut pas de réponse.

Il posa la corne et se mit à fourrager dans la boîte. Il sortit quelque chose de dessous la planche sur laquelle se trouvaient les bizarres récipients de verre. C'était un petit livre mince relié en cuir. Il l'ouvrit. C'était visiblement du papier de lin, jauni par l'âge, et « piqué » de taches jaunes... Il vit des noms, des numéros... un renvoi à la première page :

COMPENDIUM DES NOMS, DES RÉSIDENCES,
ET DES CHIFFRES DE TOUS LES MEMBRES
DIGNES ET HONORABLES DE LA MACHINE MAGNÉTIQUE
DE RENSEIGNEMENTS

Il supposa — et c'était une supposition folle mais cette chose extraordinaire était pourtant bien devant lui — il supposa que le téléphone ou un appareil précurseur et oublié depuis longtemps, avait été inventé à cette époque... Mais comment était-il possible qu'il continue à fonctionner ? Ou bien s'agissait-il d'un tour de quelque antiquaire comme le vieux Ransome, qui avait voulu avoir un téléphone bizarre et périmé ? A moins que lui, Milo, ne soit devenu complètement fou en imaginant des choses pareilles ? Allons... il tourna la page.

Exordium : les artisans de cette machine n'ont économisé ni la peine, ni l'argent pour obtenir les meilleurs matériaux et la meilleure main-d'œuvre. Mr. D. Phyfe a construit le meuble. Le docteur B. Franklin est responsable des bouteilles de Leyde et des autres parties magnétiques. Mr. P. Revere a fabriqué les parties de cuivre et de bronze et Mr. Meyer Meyers les parties d'étain et d'argent.

Avertissement : Le Chiffre de chaque Membre est indiqué selon l'ordre alphabétique. Tournez la roue et lorsque vous entendrez le tintinnabulement de la Cloche, informez l'ingénieur du chiffre du Correspondant désiré. *CAVEAT.* Il est absolument défendu de toucher aux bouteilles de Leyde.

Anderson, incertain mais curieux, au point d'en avoir oublié le danger qui le menaçait, compulsa le livre. Presque machinalement, son doigt s'arrêta sur Washington, George, Gentilhomme Planteur, Mont Vernon. Il fit tourner la roue. La clochette tinta. Il porta la petite corne à son oreille.

« Votre correspondant, monsieur ? »

Cette fois, il était préparé. Il s'éclaircit la voix et dit :

« Patriot 1-7-7-0.
— Serviteur, monsieur. »

Quelque part, au loin, une autre clochette se mit à tinter.

« Dites... Ingénieur, risqua Milo.
— Serviteur, monsieur.
— Hem... Comment vous appelez-vous ?
— Il n'y a pas de nom, monsieur. »

Dring... dring... dring.

« Eh bien, euh... à quelle *époque* sommes nous... ou bien où *êtes-vous ?*
— Il n'y a ni temps, ni endroit, monsieur. Et il n'est

pas permis de tenir des propos qui ne sont pas pertinents alors que la machine est en service, monsieur. »

Dring... dring... dring...

Soudain, le parchemin crissa et une voix basse jaillit de la corne :

« Ah ! c'est vous, monsieur... »

Milo avala sa salive.

« Monsieur Washington ? »

Il n'était sûrement pas général en 1770.

« Oui, monsieur... et je ne vous remercie pas, monsieur. Où voulez-vous en venir, espèce de sangsue ? Vous m'avez vendu ce satané dentier !... Voyons, même un étalon crachant le feu ne pourrait pas le garder dans la bouche ! »

On entendait les fausses dents claquer et grincer. La voix du patriote monta d'un ton :

« Je n'ai pas pu manger un seul morceau de viande depuis des *jours*. Je me nourris de paroles et de crème ! Que ce que l'on fabrique en Angleterre soit maudit... Parlez-moi plutôt de ce qu'on fait dans notre Amérique ! »

La voix furieuse résonna dans l'oreille de Milo et disparut.

On venait de le prendre pour un charlatan de dentiste. C'était peut-être le seul forfait qu'il n'eût jamais commis. Milo eut envie de rappeler, s'aperçut qu'il avait oublié le numéro — ou plutôt le chiffre — mais l'endroit où ce chiffre avait été inscrit était vide. Il frissonna. La voix de l'ingénieur répondit au signal :

« Quel est le chiffre de George Washington ? demanda Milo.

— Ce renseignement n'est pas disponible, monsieur. Consultez, je vous prie...

— Mais il n'est *plus* dans le compendium.

— Les chiffres qui ne se trouvent pas dans le compendium n'existent pas... Votre serviteur, monsieur. »

Eh bien, tant pis pour le père de la Patrie. Anderson venait de découvrir un motif jusqu'à présent inconnu de l'Indépendance des Etats-Unis. Et qu'est-ce qu'il en avait à faire ? Une fois encore, il se rendit compte de la situation dans laquelle il se trouvait. Il n'y avait personne à qui il pouvait s'adresser, pas dans le présent, en tous les cas. Ne sachant plus à quel saint se vouer, il se tourna vers le passé. Il fit marcher la roue et ouvrit le petit livre.

« Votre correspondant, monsieur ?

— Printinghouse 1-7-7-1. »

Dring... dring...

La voix était vive et, en dépit du temps, avait conservé une trace d'accent bostonien.

« Accrochons-nous tous à la même corde sinon nous serons sûrement pendus... Que voulez-vous, voisin ? Les colonies doivent s'unir et elles y parviendront. Mais en attendant, chaque jour amène sa peine.

— Benjamin Franklin, sans doute ?

— Lui-même, mon ami. Vous voulez du travail dans l'imprimerie ? Ou voulez-vous la liste des livres récréatifs et instructifs ? Le dernier numéro de l'*Almanach du Pauvre Richard* ? Le Livre des Psaumes ? La nouvelle édition de la Bible ? C'est ça ?

— Non, non. »

La voix baissa d'un ton et devint confidentielle.

« On a reçu par le dernier voilier arrivé au port un roman français en trois volumes... non ? Je vous ferai un prix spécial pour *Fanny Hill*.

— Docteur Franklin, — l'anxiété gagnait Milo —. Il faut que vous m'aidiez... Je me rends compte... J'en appelle à vous, en tant qu'Américain... »

Il se mit à bégayer.

La voix devint circonspecte, puis prit un ton amusé :

« Nenni, nenni. Je ne suis pas tombé de la dernière averse et ce n'est pas comme ça que vous m'appâterez. C'est encore un coup des Conservateurs tories anglais. Et si vous êtes au service de Sir William Johnson, dites-lui...

— Mais...

— Dites-lui que je suis un loyal sujet du Roi. S'il ne le croit pas, qu'il me prouve le contraire. Je ne fais rien d'autre que d'essayer de constituer une alliance continentale contre le Roi de France et les Indiens sauvages... à moins que la Providence ne nous en débarrasse par le rhum et la variole. »

Milo cria :

« Ma vie est en danger.

— Je vais vous vendre une jolie éphéméride. Vous y trouverez votre horoscope et vous verrez ainsi tous les événements dont il faudra vous méfier... Voulez-vous un poêle ? Je vais vous vendre... »

Bien entendu, le chiffre avait disparu du livre et de sa mémoire. Il était évident qu'il avait le droit de n'appeler qu'une seule fois chacun des noms. Il ne lui restait guère de temps devant lui. Minuit approchait et il ne tarderait pas à entendre parler du Syndicat et de l'argent qu'il devait à Mrs. Pritchard. A moins que Bloodgood Bixbee et ses amis, ou Big Patsy et ses amis ne se manifestent les premiers.

Pas d'aide du côté des Américains. Essayons les Anglais tories. Essayons la ligne qu'il avait utilisée tout à l'heure pour appeler Ovlomov. Tournons la roue et attendons le tintement de la clochette :

« Monsieur ?

— Slaughter 1-7-7-7-... Allô ?

— Je vous entends, monsieur. »

C'était une voix froide et douce comme une peau de vipère.

« Sir Henry Hamilton ? Je suis un loyal sujet du Roi et j'ai des renseignements à vous vendre... » Sa bouche était tout contre le cornet de bronze.

Désormais, il ne lui restait plus le moindre doute : tout cela était vrai. Il allait commettre une trahison. C'était certain.

« Oh ! que les loyaux sujets du Roi aillent au diable ! Je n'achète pas de renseignements. J'achète des cheveux, monsieur. Voilà comment je transforme les rebelles en loyaux sujets du Roi, monsieur. J'achète leurs scalps. En avez-vous à vendre, mon garçon ? J'offre des prix fabuleux pour encourager ce commerce. J'offre 2 livres pour les Yankees femelles. Dix shillings pour les bébés yankees et les Indiens privés d'affection.

— Au secours ! Venez-moi en aide où que vous soyez, Sir Henry... Je ferai... »

La voix de l'agent tory se fait plus prudente.

« Pourtant, faites bien attention, dit-il, faites attention à ce que ces chevelures soient bien soignées car, s'il y a une chose au monde que je ne peux pas supporter... vous m'écoutez bien, monsieur ?... c'est un scalp qui pue. Pouah ! ajouta-t-il avec dégoût.

— Il doit bien y avoir un moyen que *vous* pouvez trouver, un moyen de m'en sortir... Je pourrais venir chez vous... »

La voix s'affaiblit :

« Des *cheveux*, pas toute la tête, rien que les *cheveux*... »

La voix mourut et tandis que Milo regardait le nom, celui-ci disparut également de la page.

Il les appela tous les uns après les autres. Et les uns et

les autres, sans même savoir exactement qui il était, savaient pourtant qu'il s'agissait d'un chenapan et d'une canaille. Il était incapable de leur faire comprendre sa situation, et il était tout aussi incapable de trouver un moyen de passer de son époque dans la leur. Les voix traversaient bien le temps et l'espace, pourquoi n'en serait-il pas de même pour les corps ? D'un geste désespéré, il feuilleta le compendium. Un autre nom lui sauta aux yeux. *Cet homme-là* ne le repousserait pas. Il fit tourner la roue.

« Votre correspondant, monsieur ?

— Tammany 1-7-8-9. Et dépêchez-vous.

— Votre serviteur, monsieur. »

Dring... dring...

Un bredouillement confus... des rires... le son d'un violon...

La voix de Milo tremblait :

« Le colonel Aaron Burr ? »

La voix du colonel était douce comme du miel :

« Lui-même, monsieur. »

Il faut jouer cartes sur table :

« Colonel Burr, je suis un voleur, un tricheur, un faussaire, un maître-chanteur et un traître. »

Le colonel rit :

« En deux mots, vous êtes un honnête coquin... NON, ma jolie, non, ma poupée, ne saute pas comme ça pendant que je...

— J'ai besoin de votre aide. Et j'en ai besoin *tout de suite.*

— Oh ! non, pas ce soir, mon garçon. Burr est capable de vendre son âme pour de l'or mais il ne passerait pas le seuil de la porte même pour sauver son âme quand une jolie putain est assise sur ses genoux... Pourquoi rougis-tu, ma colombe ? Ton corsage est trop serré ? Laisse-moi l'ou-

vrir... Non, ne me tape pas sur les doigts. Tu sais bien
que tu m'aimes... »

Restait-il un nom dans tout le livre ? (Je n'ai plus que
quelques minutes avant minuit.) Oui. Un seul.

« Votre correspondant, monsieur ? »

Milo passa la langue sur ses lèvres desséchées.

« West Point 1-7-8-0. »

Cette fois la petite cloche d'argent ne sonna pas. Il
entendit le son d'un tambour, en roulements lents et
brusques, semblables à des bourrasques de vent... Une
bouffée de fumée jaune, étouffante, sulfureuse sortit en
vagues de la corne de cuivre. Milo rentra la tête.

« Je vous écoute, monsieur. »

La voix était infiniment lasse, infiniment amère.

Milo coassa.

« Général Benedict Arnold ? »

Il lui raconta toute son histoire. Il y eut un silence
mais il se rendait compte que son interlocuteur était toujours au bout du fil. Finalement...

« Je puis vous aider. Les corps peuvent franchir la barrière du temps et de l'espace. En souvenir de ma jambe
blessée à Saratoga, en souvenir des blessures et du sang
versé au service de mon pays natal, je veux rendre ce dernier service à ma patrie. »

Milo balbutia des remerciements. La voix amère et
lasse continua :

« J'ai reçu en récompense de mes trahisons de l'argent,
des brevets pour mes fils et moi-même, une pension pour
ma femme. Tout n'est que poussière et cendre... J'ai
demandé dans mon testament d'être enterré dans mon uni
forme britannique...

— Mais *moi*, vous m'avez promis de *m'aider*... »

Les aiguilles de la pendule marquaient presque...

« Je vais faire pour vous ce que j'aurais dû faire pour moi-même. Avant de partir en guerre, j'avais un métier à Hartford et j'ai appris... Mais aujourd'hui, c'est trop tard. J'aurais dû faire ça cette nuit-là à West Point, avant d'écrire à ce pauvre André... »

Une des bouteilles de Leyde se brisa avec un craquement sec, faisant éclater le panneau de verre. Milo tournoya sous l'effet de la chaleur. Au milieu de la poussière et des éclats de verre, il vit une petite boîte ronde.

« Non ! » cria-t-il en reculant.

La pendule se mit à sonner doucement l'heure. Une automobile s'arrêta devant la maison. De lourds pas firent résonner le hall, s'arrêtèrent devant sa porte.

Sans hésiter davantage, il ouvrit la boîte et porta quelque chose à ses lèvres. Il trembla, tomba en avant, s'agrippant à la roue. La clochette sonna une seule fois. La boîte de drogue gisait à côté de lui. Sur l'étiquette, on lisait : Ben. d'T Arnold, Hartford, « Apothicaire licencié ».

Des poings et des pieds heurtaient violemment la porte. Des voix rudes hurlaient.

La clochette sonna encore une fois.

Une foix demanda faiblement :

« Votre correspondant, monsieur ? »

La voix répéta la question.

« Monsieur, je ne vous entends pas, dit enfin la voix. Je ne vous entends plus... »

LA COLLERETTE EN VERRE FILÉ
de
JEREMIAH DIGGES

Tom, le souffleur de verre, dit :

« Le chef d'équipe Morgan m'a laissé le souvenir d'un homme robuste : il mesurait plus d'un mètre quatre-vingts et il avait de très larges épaules. Pourtant, quand je pense à lui, il ne m'apparaît pas comme un type gras. Il y a des hommes qui sont gras et des hommes qui sont robustes. Pour moi, jeune apprenti à six dollars par semaine, dont le verre le mieux réussi était juste bon à être jeté dans la boîte aux ordures, le grand Shebnah Morgan était une sorte de Dieu Tout-Puissant. »

Peley, le couleur de verre, avait raconté aux copains l'histoire de la rose du contremaître Morgan, cette fleur en verre couleur de rubis qui restait transparente comme l'eau du torrent quand elle se trouvait dans la main d'une vierge, mais qui s'obscurcissait si la fille avait sauté le pas. Avant que le sifflet ne les rappelle au travail, les gars, perchés sur des sacs de sable autour de la porte de la verrerie de Sandwich demandaient au vieux Tom de leur raconter la légende du célèbre Morgan.

Tom, le souffleur, continua :

— Il avait une barbe blanche qui le faisait étrangement ressembler à Dieu. Il marchait comme Dieu et mangeait comme Dieu. Mais, contrairement à Notre-Sei-

gneur le contremaître était un homme paisible. Il n'aurait
pas fait de mal à une mouche. Sa voix était douce et
mélodieuse et, aux yeux d'un jeune homme, Dieu n'est
pas aussi tolérant.

Ah ! A cette époque, les contremaîtres étaient des gen-
tlemen, plus fiers qu'Artaban. Le Bal des Souffleurs de verre
était le grand événement de l'année à Sandwich. Ce soir-là,
toutes les femmes des contremaîtres se rendaient à l'Hôtel
de Ville, ornées de parures de verre que leurs maris
avaient faites pour elles. Chacune d'elles espérait éclipser
les autres et gagner le prix.

C'était l'époque où cinq cents hommes travaillaient dans
la même verrerie. C'est ainsi que ça se passait à Sandwich : personne dans la corporation ne comparait les salai-
res avec ceux de Pittsburg et ceux de l'ouest des Etats-
Unis. Personne ne parlait de grève et on ne discutait pas
les conditions de travail. C'était l'âge du verre, du verre
travaillé à la main, du verre aux reflets magiques que
fabriquaient les contremaîtres. Et quelquefois, de ce verre,
ils tiraient des objets déments.

Mais aucun d'eux ne travaillait le verre comme Shebnah Morgan. Aucun d'eux ne travaillait le verre avec
autant d'amour. Personne n'osait rivaliser avec lui et les
parures que portait sa femme le soir du Bal des Verriers
étaient les plus belles de toutes. Ce fut seulement après la
mort de son épouse, Maria, que le contremaître cessa de
confectionner des pièces à la main et c'est alors que le
prix fut attribué à l'une des autres concurrentes.

Nous avions tous pensé que Morgan ne se remettrait
jamais de la mort de Maria. J'ai connu des hommes qui
veillaient jalousement au bonheur de leur femme, mais je
n'ai jamais vu personne dont la conduite puisse se comparer à celle du contremaître. Et je n'ai jamais vu un
homme plus durement frappé que lui lorsqu'il perdit son

épouse. Pourtant je crois que seuls ses intimes s'en rendirent compte, car cela se remarquait par de petites choses, qui auraient passé inaperçues aux yeux d'un étranger mais qui, à moi, me firent comprendre le supplice que cet homme endurait. Et s'il n'avait pas eu son fils Slade, il se serait brisé comme du verre.

Slade, son fils, était la réplique vivante de sa mère. Comme elle, il était beau, vif et doué d'un cœur d'or. Il avait environ quinze ans lorsque sa mère mourut. Et, à partir de ce moment, le père ne vécut plus que pour lui. Son fils devint son seul but dans la vie et ce n'était pas ce qu'il fallait pour un jeune garçon. Lorsque le contremaître ouvrait la bouche — ce qui lui arrivait une fois tous les 36 du mois — c'était pour parler de Slade : Slade par-ci, Slade par-là.

Slade Morgan était un garçon qui avait besoin d'être aidé par son père. Cependant, il n'était peut-être pas tout à fait digne de l'intérêt que lui portait le contremaître, sinon il aurait su mieux mener sa barque.

Voici ce que je veux dire : si Slade Morgan avait été aussi près de Dieu que le vieux Shebnah le pensait, le garçon n'aurait pas épousé Delly Hedges. Que Dieu ait son âme car Delly était si belle et si accomplie, qu'il paraît difficile d'en vouloir au garçon de son erreur. Tous les hommes regardaient Delly avec insistance, espérant à leur tour attirer son regard. Or, nombreux furent ceux qui essayèrent et nombreux furent ceux qui réussirent ! Le vieux Shebnah lui-même savait que c'était une fille volage mais il était tellement influencé par Slade qu'il était incapable d'avoir une opinion personnelle. Du moment que son fils le disait, c'était vrai. Même si Slade faisait des bulles dans le verre, c'était encore lui qui avait raison.

Ainsi, contre vents et marées, le contremaître Morgan annonça à la ronde qu'il pensait le plus grand bien de

Delly. Il parla plus que d'habitude pour que tout Sandwich soit au courant. Il rencontra un jour Thankful Stocker dans Sagamore Road et l'arrêta. Thankful était une
femme qui s'occupait plus des affaires d'autrui que des
siennes et jamais Shebnah Morgan n'aurait traversé la
route pour lui dire un mot. Mais cette fois, il espérait
bien qu'elle répéterait dans toute la ville ce qu'il allait lui
dire.

« Je suis sûr que vous serez contente d'apprendre que
Slade, mon garçon, va épouser Delly Hodges, lui dit le
contremaître de sa voix basse et douce. Après mon fils, je
suis aujourd'hui l'homme le plus heureux de Sandwich.

— Ah ! Shebnah !... » répondit Thankful, tendant
l'oreille pour en apprendre davantage.

Mais le contremaître continua son chemin sans en dire
plus et le sourire disparut de son visage comme le soleil
derrière un nuage. Thankful se hâta, en quête d'autres
nouvelles.

Après le mariage de Slade et de Delly, le vieil homme
rentra dans son habituel silence. Il devint plus silencieux
qu'il ne l'avait jamais été et si, deux ans plus tard, Delly
Morgan donna à jaser à Thankful Stocker et autres can-
caniers de la ville, ce ne fut pas le contremaître qui en
fut la cause. Jamais le vieil homme ne souffla mot de
Nat Maddock quand celui-ci vint à Sandwich pour travailler à la verrerie, pas plus qu'il ne souffla mot de l'histoire entre Nat et Delly Morgan.

Nat Maddock était un garçon jeune, imprudent et qui
n'avait pas de religion. Quant à Delly, je vous l'ai déjà
dit, c'était, depuis toujours, une fille volage. L'aventure
mûrit lentement et, parfois, je me demande s'ils furent
vraiment attirés l'un vers l'autre ou s'ils ne furent pas
poussés dans les bras l'un de l'autre par les éternels soupçons de Slade Morgan et son caractère coléreux.

En tous les cas, Morgan, le contremaître, savait. Il savait tout ce qu'il y avait à savoir. Il avait déjà évalué, mis à nu et disséqué l'âme de Delly Morgan tandis que Slade en était encore à rechercher les raisons du changement de sa femme.

Sans doute était-ce pourquoi elle détestait tellement le vieil homme. Elle criait à haute voix sa haine à l'égard de son beau-père qu'elle rendait responsable de ses ennuis, tout en restant muette sur le compte de Nat. C'était à cause de lui qu'elle était obligée d'être malheureuse en restant enchaînée à son mari.

Morgan, le contremaître, connaissait les femmes. Il la laissait de bon gré s'en prendre à lui à condition qu'elle demeurât auprès de Slade et qu'elle lui évitât le naufrage. Il ne dit jamais une parole dure à Delly.

Non, ce fut Slade qui versa l'huile sur le feu. Je n'oublierai jamais ce jour. Tout se passa ici, dans la verrerie. Maddock était assembleur et Slade souffleur. Ni l'un ni l'autre n'avait jamais obtenu le titre de contremaître dans la verrerie et lorsque arrivait une commande pour une importante expédition de verres de lampe — travail qui ne demandait pas beaucoup d'ouvriers — c'étaient Maddock et le jeune Morgan qui en étaient chargés. Ils travaillaient tous deux sur le même creuset.

Brusquement, cet après-midi-là, Slade prit la canne des mains de Maddock, prêt à souffler comme d'habitude, mais au lieu d'y porter les lèvres, il se retourna et la balança au visage de Nat Maddock. Sans doute Nat s'attendait-il à ce geste car, bien que la canne ait traversé l'air rapidement, avec un bruit perfide et sifflant, il se baissa pour l'éviter. Le verre brûlant fendit l'espace, passa au-dessus de sa tête et vint s'écraser contre le mur de briques.

Levant les yeux, Morgan, le contremaître, en vit assez pour se dresser d'un bond. Il s'approcha en courant de

Slade et arriva juste à temps pour lui arracher la canne des mains et empêcher le garçon de passer de nouveau à l'attaque. Il respirait péniblement et son lourd visage était ruisselant de sueur... Slade fixa son père en plein dans les yeux, puis il se détourna et montra le creuset.

« Cet homme a essayé de me tuer, père, dit-il. Regarde là. »

En effet, il y avait une fissure dans le creuset, du côté où travaillait Slade. Ce n'était pas un creuset neuf avec un défaut de fabrication et ce n'était pas non plus un creuset avec une fissure d'une origine naturelle. N'importe qui aurait pu voir qu'on avait trafiqué l'extérieur, en l'écornant pour amorcer la fissure. Cette fissure devait s'élargir petit à petit jusqu'à ce que le creuset s'ouvrît en deux et alors, une demi-tonne de verre en fusion aurait coulé dans la direction de Slade.

Nat Maddock sourit :

« Ah ! tu crois que j'aurais fendu un creuset auprès duquel je travaille moi-même, hein ? demanda-t-il à Slade.

— Tu en restes éloigné toute la journée, répondit Slade et c'est comme ça que je m'en suis aperçu. Et si quelqu'un doit être tué... »

Il fit un geste pour se débarrasser du contremaître, qui lui tenait le bras serré, mais Shebnah maintint son étreinte et d'autres hommes s'approchèrent.

Je crois que tout le monde à Sandwich savait à quoi s'en tenir sur l'histoire de la canne mais personne ne pouvait affirmer que Nat était responsable de la fissure du creuset. On remplaça donc le creuset ébréché par un neuf et, comme Nat se montrait un bon ouvrier, on décida de ne plus parler de cette affaire. Moi, en tout cas, je suis sûr que c'était Nat qui avait tout manigancé. C'était bien dangereux de les faire travailler au même creuset car on savait tous qu'ils étaient prêts à en venir aux mains. Et ils disposaient de l'arme la plus terrible : le verre en fusion. De plus, Nat Maddock était un homme sans religion, qui aimait le risque et était capable de miser à fond sur sa chance.

Morgan le contremaître ne travailla plus de la journée. Sam Dyer le ramena chez lui. Le vieux verrier suait comme un bœuf et tremblait de tous ses membres. Et pendant les jours qui suivirent, il se conduisit comme un homme poursuivi par une meute aux abois. Il savait d'avance ce qui allait se passer. Il avait non seulement aimé Maria Morgan mais il savait aussi quelle femme elle avait été. Il connaissait donc le sang qui coulait dans les veines de son fils... Le sang... Il voyait du sang sur les mains de Slade Morgan. Et ce spectacle qu'il imaginait était plus qu'il n'en pouvait supporter. Son propre fils, un meurtrier ! Ce fils qui était tout ce qui lui restait de Maria. Et pour le contremaître, son fils portait déjà la marque du crime.

Et cependant, quand un homme songe à l'avenir et prévoit quelque chose de pire que la mort, tout son être se refuse à l'imaginer. Il est des cas où l'on préfère être aveugle. Le lendemain de la bagarre à la verrerie, Shebnah Morgan décida de contrecarrer le destin. Le Bal des Verriers devait avoir lieu dans six semaines. Le jour suivant il dit à Slade qu'il allait fabriquer pour Delly une parure qui éblouirait la ville come celles qu'il avait faites autrefois pour Maria Morgan.

« Mais Delly n'ira pas au bal, père », dit Slade d'un air sombre.

Le contremaître feignit la surprise.

« Comment, fils, vous n'iriez au bal ni l'un ni l'autre ? Mais la ville entière compte sur toi, sur toi et sur Delly ensemble. »

Slade comprit qu'il ne s'agissait pas seulement d'un

souhait. Oui, il faudrait qu'il assiste au Bal des Verriers, ne fût-ce que pour faire taire les gens.

« Nat Maddock y sera », dit Slade, exprimant ainsi ce qui le préoccupait. Puis, se tournant vers le contremaître, il ajouta :

« S'il a l'audace de jeter un regard sur Delly, je le tue ! »

Debout devant son fils, Morgan le contempla un long moment. Il le contempla, secoua la tête et, d'une voix lente et inquiète, il parla :

« Tu ne tueras point. »

Ces mots sortirent de sa bouche, non pas comme l'un des commandements, mais comme une prière, une prière émue et désespérée. C'était le grand Shebnah Morgan, s'appuyant sur l'autorité du Tout-Puissant, appelant à son aide une Main plus forte que la sienne. Et Slade Morgan entendit la prière et non le commandement. La prière qui venait du cœur brisé d'un homme fier qui s'était humilié, de ce vieil homme qui était son père. Il s'agenouilla et pleura.

Alors Shebnah posa sa main sur la tête du garçon et dit :

« Emmène-la au bal, mon fils, qu'elle porte le bijou que je ferai pour elle. Elle en sera heureuse. »

D'après ce qui m'a été dit, ce furent les seules paroles que prononça Morgan. Pourtant il savait que Delly était perdue, perdue à jamais pour Slade. Vouloir la retenir, c'était comme garder un rossignol en cage.

Cette nuit-là, le contremaître se mit au travail. Et il continua des nuits durant. Chaque matin, à cause de ses longues veilles, il paraissait un peu plus vieux.

Au bout de quelques jours, je crus comprendre ce qui lui donnait cet air, mais c'était peut-être seulement une idée. Oui, le vieux Shebnah mettait quelque chose dans son œuvre, quelque chose qu'il arrachait à son âme immortelle. J'étais bien jeune à l'époque, pourtant je comprenais. Je voyais l'homme changer, jour après jour. Je voyais peu à peu ses yeux s'emplir de brouillard. Je le voyais se séparer de ce qu'il avait voulu conserver jusqu'à sa tombe et cette séparation le laissait le cœur et le visage vides.

Le bijou qu'il fabriquait pour sa belle-fille était un collet en épigée rampante, comme il disait. Personne au monde, autre que Shebnah Morgan, n'aurait pu faire ce collier. Je n'ai jamais vu de verre travaillé de cette façon auparavant et je n'en reverrai sans doute jamais.

C'était pur comme le diamant, sans le moindre reflet jaunâtre et ça étincelait comme des brillants. C'était un immense collier, si grand que Delly devait redresser la tête quand elle arpentait la salle de bal, et faire attention à ne pas le briser lorsqu'elle s'appuyait en s'asseyant, contre le dos de son fauteuil. Mais le bijou était léger et digne d'une fée comme l'épigée elle-même et le collier encadrait son petit visage. On eût dit une créature céleste qui ne ressemblait en rien à un être humain et encore moins à ce que Delly Morgan était en vérité. Des supports de verre filé éclairaient ses épaules, rehaussant la collerette qui entourait sa tête à la manière d'une fraise élizabéthaine. Chaque fleur et chaque feuille accrochait les lumières de la salle de bal de l'Hôtel de Ville qui se reflétaient sur le visage de Delly. Où qu'elle se trouvât, son visage était illuminé d'une façon étrange et imprévue. Ce soir-là, elle était unique et ce soir-là, au Bal des Verriers, aucune femme ne pouvait rivaliser avec elle.

Morgan, le contremaître, avait apporté lui-même la collerette à l'Hôtel de Ville. Slade et Delly marchaient devant lui. Lorsqu'ils arrivèrent, le vieil homme la lui passa au cou. La collerette s'ouvrait par de fines charnières de verre et se fermait sur la nuque. Ce bijou ne comportait aucune pièce de métal sauf le plomb que le contremaître avait utilisé dans la pâte.

Lorsque Slade Morgan regarda sa jeune femme, debout devant l'Hôtel de Ville, rejetan* sa cape en arrière, habillée de satin blanc, ne portant au une autre parure que la collerette qui irisait ses joues, *es larmes lui vinrent aux yeux. La neige recouvrait la grand-rue et des glaçons étincelants pendaient aux gouttières de l'Hôtel de Ville. Ainsi parée, Delly évoquait la froide et souriante Dame des Neiges des contes de fées. Quand elle souriait à Slade, son sourire avait l'étrange couleur argentée du célèbre verre de Sandwich.

« Ne mets pas ton masque, lui cria Slade. Tu n'as pas besoin de masque. »

Elle ne le mit pas. Elle alla au bal telle qu'elle était et son visage lui-même était un masque, grâce à la lumière qui l'éclairait. Au moment de pénétrer dans la salle, le contremaître, dans un murmure, la mit en garde :

« N'enlève pas la collerette. N'essaie pas de l'enlever, sans mon aide, mon enfant. Car tu pourrais la briser. Seule une main experte peut l'ouvrir. Je serai à la maison quand vous rentrerez et c'est moi qui la retirerai. »

Le vieil homme les abandonna devant la porte.

Il était comme un homme d'un autre monde lorsqu'il rentra chez lui, en suivant la grand-rue, courbé en deux. Il ne voyait rien tandis que toute la ville riait, chantait, était en fête dans les rues, tous en route vers l'Hôtel de Ville. Je vous ai déjà dit qu'aucun bal ne pouvait se comparer à celui du Bal des Verriers.

Naturellement, Nat Maddock se trouvait là au moment où Slade arriva avec Delly qu'il conduisit à travers la foule, émerveillée par la beauté de la jeune femme. Les compliments qui les accueillirent semblèrent lui faire oublier la présence de Nat. Il ne pensait à rien sauf à

Delly. Et je crois, moi, que c'était la collerette qui était responsable de cet oubli. Je crois que le bijou était enchanté si j'en juge par la conduite de Slade Morgan. Tout ce qu'il voulait, c'était montrer Delly à la ville entière, pour que tous les hommes voient combien elle était belle. Il regarda pour voir si on la regardait et quand il constata l'admiration qu'elle déchaînait, il se mit à rire très fort. C'était un homme ensorcelé. Il suivait sa femme avec des yeux brillants d'une lueur étrange pendant qu'elle dansait le quadrille. Il décida de s'asseoir avec les vieux pour continuer à la contempler.

J'eus encore une autre preuve, et une preuve de qualité, que Shebnah Morgan, pour confectionner la colerette, avait utilisé plus que ses mains de chair et de sang. Car, en vérité, Delly se conduisait d'une façon étrange. On eût dit qu'elle était douée de prémonition. Elle continuait à sourire de ce sourire froid qui faisait croire que son blanc visage était sculpté dans la glace. La soirée n'était pas encore très avancée qu'elle poussait déjà Slade à boire. En fort peu de temps, le garçon fut ivre et elle en profita pour disparaître.

Nat Maddock disparut lui aussi. J'ignore combien de temps ils restèrent partis tous les deux mais lorsque Slade découvrit, enfin, leur absence, il arrêta la danse.

« Delly ! » hurla-t-il dans la salle, comme si toute la ville était en flammes.

Tel un fou, il traversa la salle de bal, criant son nom. Puis il se précipita dehors et courut sur la route.

Mais le Bal des Verriers n'était pas destiné à résoudre les problèmes des jeunes ménages désunis. Peu à peu on se remit à danser et tout continua comme avant. Les violons reprirent leurs places et l'on dansa le menuet des marins.

Je ne vis pas ce qui arriva. Personne ne le vit, sauf Nat Maddock. Mais j'entendis l'homme crier. Ce fut un hurle-

ment farouche, venant des bords de l'étang, derrière
l'Hôtel de Ville. C'était là que Nat avait emmené Delly
pendant que son époux les cherchait dans les rues de
Sandwich. Nat revint en courant à l'Hôtel de Ville, hurlant tout le long du chemin. Son visage était pâle et dément, ses mains rouges de sang.

Il était incapable de parler. Il essaya de nous raconter
mais sa gorge était tellement serrée que les mots ne passaient pas. De la main, il montrait la direction de l'étang.
Avant qu'il nous conduise vers Delly, plusieurs d'entre
nous fouillaient déjà l'herbe sur les berges de l'étang, le
cimetière, et les alentours.

Bardo, le contremaître, la découvrit. Il appela et tout
le monde arriva en courant. Elle gisait là, étendue sur le
sol, sa tête baignant dans une petite mare de sang plus
sombre que les eaux de l'étang. La gorge de Delly Morgan avait été tranchée aussi nettement qu'avec une lame de
rasoir.

Nat Maddock fut innocenté sur-le-champ car nous vîmes
ce qui avait causé le drame : la collerette du contremaître
Morgan. Le bijou s'était entièrement brisé lorsqu'elle était
tombée et les morceaux de verre gisaient sur le sol autour
de sa tête, ceux que le sang n'avait pas teints en rouge
scintillaient sous la lumière de la lune. Nous brisâmes le
reste de la collerette et nous découvrîmes une tige longue
et étroite enfoncée dans sa gorge.

Les gens de Sandwich n'en savaient pas autant que les
hommes qui travaillaient à la verrerie. Il ne savaient pas
que le vieux Morgan pouvait fabriquer une collerette dont
la fermeture était si mystérieuse que personne ne pourrait
l'ouvrir sans enfoncer dans la gorge de celle qui la portait
le bord tranchant de la lame. Ils ne savaient pas non
plus qu'on ne pouvait embrasser la femme qui portait
collerette sans d'abord la lui ôter.

BREF RETOUR A LA MAISON

de

F. SCOTT FITZGERALD

I

JÉTAIS auprès d'elle car je m'étais attardé pour être à ses côtés pendant le court chemin qui séparait la salle de séjour de la porte d'entrée. C'était beaucoup pour moi parce qu'elle s'était soudain épanouie tandis que moi, son aîné d'un an, je ne m'étais pas épanoui du tout et, au cours des dix jours que nous venions de passer ensemble à la maison, j'avais à peine osé m'approcher d'elle. Je n'avais pas l'intention de lui parler ni même de lui effleurer le bras pendant ces trois mètres que nous allions faire ensemble mais j'espérais vaguement qu'elle, elle ferait quelque chose, un petit numéro personnel (personnel et intentionnel à mon égard).

Il y avait de la magie dans ses mains roses, dans les petites boucles qui frisaient sur sa nuque. Elle avait cette allègre confiance en soi que possèdent les jeunes et jolies filles américaines quand elles atteignent dix-huit ans. Elle était déjà presque parfaite bien qu'il y eût encore sur elle la rosée de l'aube.

Elle était déjà à la frontière d'un autre monde — celui de Joe Jelke et de Jim Cathcart qui nous attendaient dans la voiture. Dans un an, elle m'aurait dépassé pour toujours.

Tandis que j'attendais, dans l'excitation de Noël et

l'émotion que me causait la proximité d'Ellen, une servante sortit de la salle à manger, parla tranquillement à Ellen, et lui remit un mot. Ellen le lut et ses yeux s'allumèrent comme lorsque à la campagne le courant électrique augmente la puissance du voltage brusquement et que toutes les lampes illuminent l'espace. Puis elle me jeta un regard bizarre auquel je ne sus comment répondre et, sans une parole, suivit la servante dans la salle à manger et au-delà. Alors je m'assis et feuilletai un magazine pendant un quart d'heure.

Joe Jelke entra : son visage était rougi par le froid et son écharpe de soie blanche tranchait sur le col de son manteau de fourrure. Il était à sa quatrième année d'études à New Haven. Il occupait une position très en vue à l'Université et, à mes yeux, il était beau et distingué.

« Ellen ne vient donc pas ?

— Je ne sais pas, répondis-je discrètement. Elle était prête.

— Ellen ! appela-t-il, Ellen ! »

Il avait laissé la porte ouverte et un courant d'air glacé s'était introduit dans la maison avec lui. Il monta l'escalier et s'arrêta au milieu — c'était un familier de la maison — et il appela de nouveau jusqu'à ce que Mme Banister apparût et, se penchant au-dessus de la rampe, lui dît qu'Ellen était en bas. A ce moment, la servante surgit dans la salle à manger :

« Monsieur Jelke », dit-elle à voix basse et avec un peu d'impatience.

Le visage de Joe s'assombrit quand il se tourna vers la domestique : il avait compris qu'elle lui apportait de mauvaises nouvelles.

« Mlle Ellen a dit que vous alliez directement à la réception. Elle vous y retrouvera plus tard.

— Que se passe-t-il donc ?

— Elle ne peut pas y aller maintenant. Elle ira plus tard. »

Il hésita, troublé. C'était le dernier grand bal des vacances et il était fou d'Ellen. Il avait essayé de lui faire accepter une bague pour Noël et, comme elle avait refusé, il lui avait offert une aumônière en or qui devait valoir deux cents dollars. Il n'était pas le seul à être amoureux d'elle : il y en avait au moins trois ou quatre dans le même état que lui. Et c'était arrivé depuis qu'elle était revenue à la maison pour dix jours. C'était Joe qui avait le plus de chance parce qu'il était riche, séduisant et l'enfant gâté de sa famille. C'était le parti le plus avantageux de Saint-Paul. Il me semblait impossible qu'on pût lui préférer un autre. Pourtant, des rumeurs couraient; on prétendait qu'elle avait dit à Joe « qu'il était beaucoup trop parfait ». Je pense qu'aux yeux d'Ellen il manquait de mystère et c'est un grave défaut pour une jeune fille qui ne pense pas encore au mariage...

« Elle est dans la cuisine, dit Joe d'un ton irrité.

— Non, elle n'y est pas. »

La servante était méfiante et un peu inquiète.

« Si, elle y est.

— Elle est sortie par-derrière, monsieur Jelke.

— Je veux voir. »

Je le suivis. Les domestiques suédoises qui faisaient la vaisselle nous regardèrent de biais et un bruit de casseroles remuées accueillit notre passage. La contre-porte qui n'était pas verrouillée battit dans le vent et au moment où nous sortîmes dans la cour couverte de neige, nous aperçûmes le feu arrière d'une voiture qui tournait au coin de l'allée menant à la maison.

« Je vais à sa poursuite, dit lentement Joe. Je ne comprends rien à cette histoire. »

J'étais bien trop frappé par cette calamité pour discuter. Nous nous précipitâmes vers la voiture de Joe et parcourûmes en zigzag tout le quartier résidentiel, fouillant des yeux les voitures qui circulaient. Il fallut une demi-heure pour que Joe se rendît compte avec désespoir de l'inutilité de ses recherches. Saint-Paul est une ville de près de 300 000 habitants et Jim Catheart lui rappela que nous devions aller prendre une autre jeune fille. Il s'effondra comme un animal blessé, drapé de mélancolie et de fourrure. Mais toutes les deux minutes il se redressait dans son coin et exprimait ses protestations et son désespoir en s'agitant d'avant en arrière.

La cavalière de Jim était prête et nous attendait impatiemment. Son impatience nous parut négligeable après ce qui venait de se passer. Pourtant elle était charmante. Ce qu'il y a de merveilleux dans les vacances de Noël, c'est l'excitation que vous procure le fait de se retrouver grandis, transformés, disponibles pour des aventures qui métamorphosent les gens que vous avez connus toute votre vie. Joe Jelke se montra poli avec elle, sans parvenir à sortir de son hébétude. Il ne prenait part à la conversation que par des rires brefs, saccadés, durs. Puis nous partîmes vers l'hôtel.

Le chauffeur y arriva par le mauvais côté — celui qui n'était pas destiné aux invités — et c'est à cause de cette fausse manœuvre que nous tombâmes sur Ellen Baker qui descendait d'un petit coupé. Avant que la voiture s'arrêtât, Jo Jelke avait sauté sur l'auto.

Ellen se tourna vers nous : son visage exprimait de la surprise mais certainement pas d'inquiétude. En vérité, elle ne semblait pas très bien se rendre compte que nous étions là. Joe s'approcha d'elle avec une mine sévère, digne et réprobatrice qui, à mon avis, était parfaitement justifiée. Je le suivis.

Un homme de trente-cinq ans environ, au visage mince et dur, qui ne s'était même pas donné la peine d'aider Ellen à descendre, se trouvait dans le coupé. Ses joues étaient ravagées, son sourire sinistre, ses yeux pleins de mépris pour l'humanité. C'étaient les yeux d'un animal au repos qui se trouve en présence d'une autre espèce d'animal. Ils n'étaient pas agressifs mais pleins de brutalité, sans espoir et pourtant pleins de tranquillité. Ces yeux ne révélaient aucune intention belliqueuse, mais on sentait que l'homme était capable de profiter du moindre signe de défaillance chez l'adversaire.

Je le situai parmi ce genre d'individus que depuis toujours j'avais classés dans la catégorie des « fainéants », de ceux qui passent leur temps accoudés au comptoir des marchands de tabac à essayer de surprendre, par Dieu sait quelle faille, une faiblesse dans le cerveau d'autrui dont ils pourraient tirer profit. Un habitué des garages où il devait s'occuper d'affaires équivoques, des boutiques de coiffeurs et des promenoirs de théâtres. En tout cas, c'était dans l'un de ces endroits que je situais cet individu. Il m'évoquait aussi un personnage au visage féroce, des bandes dessinées, sur lesquelles je jetais un regard craintif quand j'étais petit. Une fois, en rêve, un de ces affreux personnages s'était avancé vers moi en secouant la tête et avait murmuré : « Dis donc, le môme ! » d'une voix qui voulait être rassurante mais qui m'avait jeté dans une telle terreur que je m'étais précipité comme un fou vers la porte. Tel était l'homme assis dans le coupé.

Joe et Ellen s'affrontèrent en silence. Elle avait un regard absent. Il faisait froid, mais elle ne remarqua pas que le vent avait ouvert son manteau. Joe tendit la main et le boutonna. Machinalement, elle le serra autour d'elle.

Subitement l'homme du coupé qui les avait observés se

mit à rire. C'était à peine un rire, plutôt un gloussement qui ne venait pas de la gorge mais de la tête. En tout cas c'était la pire insulte que j'aie jamais entendue, une insulte qu'on ne pouvait ignorer. Je ne fus donc pas surpris que Joe, qui n'avait pas très bon caractère, se tournât vers lui et demandât :

« Qu'est-ce qui vous prend ? »

L'homme attendit un instant. Ses pupilles se déplaçaient de droite à gauche et pourtant son regard demeurait fixe et vigilant. Puis il ricana de nouveau, de façon aussi injurieuse. Ellen, mal à l'aise, esquissa un geste.

« Qui est ce... cet... » — la voix de Joe tremblait de colère.

« Faites attention », dit l'homme lentement.

Joe se tourna vers moi :

« Eddie, emmène Ellen et Catherine à l'intérieur, s'il te plaît, dit-il rapidement... Ellen, allez avec Eddie.

— Faites attention », répéta l'homme.

Ellen émit une petite protestation indistincte, sa langue claquant contre ses dents, mais elle ne résista pas quand je la pris par le bras et que je l'entraînai vers la porte latérale de l'hôtel. Je trouvais étrange qu'elle fût réduite à l'impuissance au point d'accepter en silence la bagarre qui se préparait...

« Laisse tomber, Joe, lui criai-je par-dessus mon épaule. Entre avec nous. »

Ce fut Ellen qui, me tirant par le bras, nous poussa à l'intérieur. Quand nous fûmes engagés dans les portes à tambour, j'eus l'impression que l'homme descendait de son coupé.

Dix minutes plus tard, tandis que j'attendais les jeunes filles devant le vestiaire des dames, Joe Jelke et Jim Catheart descendirent de l'ascenseur. Joe était blême, son regard était lourd et vitreux, il y avait un filet de sang noirâtre sur son front et sur son cache-col blanc. Jim portait dans la main le chapeau de Joe et le sien.

« Il a frappé Joe avec un poing en cuivre, dit Jim à voix basse. Joe a perdu connaissance quelques minutes. Veux-tu envoyer le groom chercher de l'hamamelis et du taffetas gommé ? »

Il était tard et le hall était désert. Il nous parvenait, par moments, des fragments de danses que l'orchestre jouait au-dessus de nous comme si le vent soulevait et laissait retomber d'épais rideaux. Lorsqu'Ellen sortit, je l'emmenai immédiatement en bas. Nous évitâmes les organisateurs de la soirée et nous allâmes dans une pièce sombre ornée de maigres palmiers où les couples venaient s'asseoir entre deux danses. Là, je lui racontai ce qui s'était passé.

« C'est la faute de Joe, déclara-t-elle à ma grande surprise. Je lui avais dit de ne pas s'en mêler. »

Ce n'était pas vrai. Elle n'avait rien dit. Elle s'était contentée d'un petit claquement d'impatience.

« Tu t'es enfuie par la porte de service et tu as disparu pendant près d'une heure, protestai-je. Puis tu as réapparu avec un « dur » qui a ri au nez de Joe.

— Un « dur », répéta-t-elle comme si elle se délectait de ce mot.

— Ce n'est pas vrai ? Où diable l'as-tu déniché, Ellen ?

— Dans le train, répondit-elle — immédiatement, elle sembla regretter cette confidence —. Il vaudrait mieux que tu ne te mêles pas de choses qui ne te regardent pas, Eddie. Tu as vu ce qui est arrivé à Joe. »

Je sursautai. La voir assise près de moi, auréolée de fraîcheur, de délicatesse et de pureté et l'entendre parler ainsi !

« Mais cet homme est un vaurien ! Aucune jeune fille ne se sentirait en sécurité avec lui. Il a utilisé un coup de

poing américain contre Joe... Un coup de poing américain !

— Est-ce que c'est très mal ? »

Elle me posa cette question comme elle me l'eût posée
quand elle était une petite fille. Puis elle me regarda, elle
désirait sincèrement connaître ma réponse. Il me sembla
qu'elle essayait, pendant un instant, de redevenir la jeune
fille qu'elle avait été. Puis de nouveau, elle se durcit. Je
dis : « durcit » car j'avais remarqué que lorsqu'il s'agissait
de cet homme, elle baissait à demi les paupières comme
pour supprimer de son champ de vision tout ce qui n'était
pas lui.

Sans doute, moi aussi, aurais-je dû me montrer dur
avec elle, mais j'étais incapable de lui faire de la peine.
J'étais subjugué par sa beauté, son succès. Je commençais
même à lui trouver des excuses : peut-être cet homme
n'était-il pas ce qu'il paraissait être ? ou peut-être, plus
romanesquement, était-elle tombée sous sa dépendance
pour protéger quelqu'un d'autre ?

A ce moment, les invités affluèrent dans la pièce et
s'approchèrent de nous pour bavarder. Ellen et moi
n'avions plus rien à nous dire. Nous allâmes dans la salle
de bal pour saluer les chaperons. Puis je l'abandonnai au
flot tourbillonnant de la danse qui, comme celui d'une mer
scintillante autour d'îles heureuses, entourait au rythme
de l'alizé que soufflaient les cuivres de l'orchestre, des
tables recouvertes de nappes multicolores. Au bout de
quelques minutes je découvris Joe Jelke assis dans un
coin, le front barré d'une bande de taffetas gommé. Je
n'allai pas vers lui. Je me sentais moi-même assez
bizarre, comme il m'arrive quand j'ai dormi l'après-midi.
L'impression d'être menacé par une chose que j'ignorais et
qui bouleversait mon échelle des valeurs.

La fête continuait : il y eut la distribution des chapeaux de papier, de trompettes en carton; les photos prises au magnésium pour les journaux du matin. Puis ce fut la grande parade et le souper. Vers deux heures du matin, des personnes du comité firent irruption dans la salle déguisées en agents du fisc. On distribua un journal facétieux qui parodiait les incidents de la soirée. Mais pendant tout ce temps, je suivais des yeux l'éblouissante orchidée qu'Ellen avait attachée à son épaule. Je l'observai avec un certain malaise jusqu'à l'heure où les couples fatigués se furent entassés dans les ascenseurs avant de disparaître, emmitouflés dans leurs fourrures jusqu'aux yeux, dans la nuit claire du Minnesota.

II

Il y a une partie de notre ville qui est bâtie à flanc de colline, entre le quartier résidentiel et le quartier des affaires situé au bord du fleuve. Cette partie est mal délimitée à cause de sa situation et je ne crois pas qu'on trouverait douze personnes capables d'en dessiner le plan exact bien qu'elles y passent au moins deux fois par jour, soit en tramway, soit à pied, soit en voiture. Il paraît qu'on y travaille mais je ne sais pas à quoi. On y voit toujours des files de tramways qui attendent le signal du départ vers une destination inconnue. Il y a un grand cinéma et beaucoup de petits qui placardent des affiches de Hoot Gibson, de chiens et de chevaux prodiges. Il y a des petites boutiques avec des billes, des cigarettes et des bonbons dans leurs vitrines. Depuis mon enfance je m'étais rendu compte que le côté obscur d'une rue était plus que

suspect. Et dans tout ce quartier on trouve des prêteurs
sur gages, des bijouteries de pacotille, des petits clubs
sportifs, des gymnases et des saloons décrépits et d'une
criante vulgarité.

Le jour qui suivit la réception du Club du Cotillon, je
m'éveillai tard et alangui, avec l'agréable sentiment que
pendant deux jours je serais dispensé de l'église et de
l'école. Rien d'autre en perspective que de me préparer
pour la réception du soir. L'air était vif et scintillant. Une
de ces journées où l'on oublie qu'il fait froid jusqu'au
moment où l'on se sent les joues gelées, et les événements
de la veille me paraissaient lointains, perdus dans l'obscurité. Après le déjeuner, je descendis en ville à pied, à
travers de délicieux petits flocons de neige qui allaient
sans doute tomber tout l'après-midi. J'avais atteint cette
partie de la ville dont j'ignore le nom et dont je vous ai
parlé plus haut, quand l'idée que j'avais dans la tête
éclata comme une bulle de savon et je me mis à penser
de toutes mes forces à Ellen Baker. Je m'inquiétai d'elle
comme je ne m'étais jamais inquiété de personne — sauf
de moi... Je ralentis le pas et j'eus envie de remonter la
colline, pour la voir, lui parler. Mais je me souvins qu'elle
était invitée à un thé et je poursuivis ma route mais mon
esprit resta tout occupé d'elle. Ce fut à ce moment précis
que, de nouveau, toute l'affaire se déclencha.

Il neigeait, je l'ai dit, et il était quatre heures de l'après-
midi, en décembre, quand le jour s'enténèbre et que les
lampadaires s'allument. Je passais devant une maison-de-
jeux-restaurant, où l'on voyait un poêle chargé de hot-
dogs en vitrine et des badauds devant la porte. A l'intérieur, quelques lampes suspendues au plafond déversaient
une lumière d'un jaune pâle et leur éclat, dans le cré-
puscule glacé, attirait irrésistiblement le regard vers l'intérieur. Bien qu'absorbé par la pensée d'Ellen j'entraperçus

cependant les badauds qui montaient la garde. Je n'avais
pas fait six pas que l'un d'eux me héla, sans prononcer
mon nom mais de façon assez nette pour accrocher mon
attention. Je crus que c'était en hommage à mon manteau
de ragondin et ne me retournai pas. L'homme qui m'avait
hélé m'interpella de nouveau, d'une manière péremptoire.
Je me retournai avec mauvaise humeur. Debout, à trois
mètres de moi, se tenait le type au visage mince et dur
avec, dans le regard, le même mépris que j'avais surpris
la veille quand il avait dévisagé Joe Jelke.

Il portait un pardessus noir d'une coupe insolite, bou-
tonné jusqu'au menton pour se garantir du froid. Ses
mains étaient profondément enfoncées dans ses poches, il
était coiffé d'un chapeau melon et portait des bottines à
boutons. Stupéfait, j'hésitai un moment mais, comme j'étais
en colère et que je savais que j'étais plus rapide que Joe
Jelke à me servir de mes poings, je fis un pas dans sa
direction. Les autres ne me regardaient pas — je ne crois
même pas qu'ils me voyaient — lui seul pouvait m'avoir
reconnu. Le coup d'œil qu'il m'avait lancé n'était pas
accidentel. Pas d'erreur possible.

« Me voici. Qu'est-ce que vous allez faire maintenant ? »
semblait me dire son regard.

Je fis un autre pas vers lui et il rit silencieusement, avec
un mépris non dissimulé et recula vers le groupe. Je le
suivis. J'allais lui parler. Je ne savais pas ce que j'allais
lui dire et puis, quand j'arrivai à sa hauteur, soit qu'il eût
changé d'idée ou qu'il voulût que je le suive à l'intérieur,
il avait disparu et les trois hommes me regardaient approcher sans montrer la moindre curiosité. Ils étaient d'ailleurs de la même espèce : chic, mais à l'encontre de leur
camarade, plutôt que turbulents ils paraissaient paisibles.
Aucune animosité dans le regard qu'ils me lancèrent.

« Est-il rentré ? » demandai-je.

Ils s'entre-regardèrent d'un air complice et, après une pause imperceptible, l'un dit :

« Qui est entré ?

— Je ne sais pas son nom. »

Il y eut des clins d'œil échangés. Irrité, mais décidé, je passai devant eux et pénétrai dans la salle de jeux. Quelques personnes étaient debout devant le comptoir où l'on servait les repas, d'autres jouaient au billard. Il n'était pas parmi ces clients.

De nouveau, j'hésitai. S'il avait l'intention de m'entraîner vers quelque coin obscur de l'établissement — on voyait des portes entrouvertes dans le fond de la pièce — j'avais besoin d'aide. Je m'approchai de l'homme assis derrière un bureau :

« Qu'est devenu le gars qui vient d'entrer ici ? »

Etait-il sur ses gardes ou était-ce de l'imagination ?

« Quel gars ?

— Le gars avec un visage mince et... un chapeau melon.

— Il y a combien de temps ?

— Oh !... une minute. »

Il secoua la tête :

« Je ne le connais pas », dit-il.

J'attendis. Les trois hommes qui étaient dehors étaient entrés et se tenaient à côté de moi le long du comptoir. J'eus l'impression qu'ils me fixaient avec une singulière insistance. Mal à l'aise, sans défense, je décidai de sortir. Je ne regardai derrière moi qu'après avoir parcouru quelques mètres puis j'observai attentivement l'endroit pour être sûr de pouvoir le retrouver. Au prochain tournant, d'instinct, je me mis à courir, hélai un taxi devant l'hôtel et remontai sur la colline.

Ellen n'était pas à la maison. Mme Baker descendit pour me parler. Elle paraissait ravie et fière de la beauté d'Ellen

mais semblait complètement ignorer que quelque chose
d'exceptionnel s'était passé la nuit précédente. Elle était
heureuse que les vacances prissent fin car, pour Ellen qui
n'était pas très robuste, c'était une grande fatigue. Enfin
elle ajouta une phrase qui me soulagea d'un gros poids :
elle était contente que je sois venu parce qu'Ellen voudrait
me voir certainement et il ne lui restait que peu de temps.
Elle devait repartir ce soir à huit heures et demie.

« Ce soir ? Je croyais que c'était après-demain ?

— Elle va chez les Brokaw à Chicago, répondit Mme Baker. Ils l'ont invitée à une réception. Son départ a été
décidé aujourd'hui, ainsi elle voyagera en compagnie des
demoiselles Ingersell. »

J'étais tellement heureux que j'eus à peine la force de
lui serrer la main. Ellen était sauvée. Tout cela n'avait été
en somme qu'une aventure banale. J'avais été un idiot
mas je me rendais compte maintenant à quel point Ellen
m'était chère. Je n'aurais pas pu supporter que quelque
chose de grave lui arrivât.

« Va-t-elle bientôt rentrer ?

— D'une minute à l'autre. Elle vient de téléphoner du
Club de l'Université. »

Je dis que je reviendrais un peu plus tard. Nous habitions porte à porte et j'avais besoin d'être seul. Une fois
dehors, je me souvins que je n'avais pas de clef. Je m'en-
gageai dans l'allée de derrière pour prendre le raccourci
que nous utilisions dans notre enfance. Il neigeait toujours mais les flocons étaient plus épais dans l'obscurité.
En essayant de retrouver le sentier effacé, je remarquai que
la porte de derrière des Baker était ouverte.

Je ne sais ce qui me poussa à faire demi-tour et à entrer
dans la cuisine. Autrefois, je connaissais les domestiques
des Baker par leurs prénoms; ce n'était plus le cas aujourd'hui mais eux, ils me connaissaient et ils s'arrêtèrent

de parler quand j'entrai. Ils s'étaient remis trop brusquement au travail. Tous les trois faisaient des gestes inutiles,
poussaient des exclamations inutiles. La femme de chambre me regardait d'un air inquiet et je compris tout à
coup qu'elle devait avoir une commission à transmettre
à quelqu'un. Je lui fis signe de me suivre dans l'office.

« Je sais tout, lui dis-je. C'est très sérieux. Dois-je aller
trouver Mme Baker immédiatement ou irez-vous fermer
cette porte à clef immédiatement ?

— Ne dites rien à Mme Baker, monsieur Stimson.

— Alors, qu'on laisse Mlle Ellen tranquille. Si on ne la
laisse pas en paix, je le saurai... je le saurai ! »

Je prononçai des menaces terribles : j'irais dans tous
les bureaux de placement pour l'empêcher de trouver
un emploi en ville. Elle était terrifiée quand je sortis. En
moins d'une minute, la porte fut verrouillée.

Au même moment j'entendis une grosse voiture s'arrêter
devant la porte, les chaînes firent crisser la neige. C'était
Ellen qui revenait à la maison. Je rentrai pour lui dire
au revoir.

Joe Jelke et deux autres garçons l'accompagnaient.
Tous les trois, ils ne la quittaient pas des yeux. Elle avait
un de ces délicieux teints de rose qui sont fréquents dans
notre région et qui restent beaux jusqu'à quarante ans,
l'âge où la couperose les flétrit. Le froid avait enluminé
ses joues, c'étaient celles d'un enfant après le bain froid
du soir. Joe et elle s'étaient réconciliés à peu près. Joe
très amoureux avait-il oublié ce qui s'était passé la nuit
dernière ? Je remarquai qu'elle riait trop fort, qu'elle ne
faisait attention ni à lui ni aux autres. Elle souhaitait de
toutes ses forces qu'ils s'en aillent pour prendre connaissance du message que devait lui transmettre la domestique.
Moi, je savais qu'elle n'aurait aucun message et qu'elle
était sauvée. On parla des bals de New Haven et de Prin-

ceton. Puis tous les quatre, chacun avec ses propres soucis, nous partîmes et nous nous séparâmes rapidement. Je rentrai à pied à la maison, assez déprimé, et je restai plus d'une heure dans un bain bouillant en songeant que, pour moi, les vacances étaient finies puisqu'elle partait. Je ressentais avec plus d'acuité qu'hier qu'elle ne faisait plus partie de ma vie.

Et j'avais oublié de faire quelque chose d'essentiel, une chose qui m'avait échappé au cours de cet après-midi. Je n'y avais plus songé du tout. Cette chose avait un vague rapport avec Mme Baker; maintenant je croyais me rappeler qu'elle concernait une phrase qui s'était glissée dans notre conversation. Rassuré au sujet d'Ellen, j'avais oublié de poser à Mme Baker une question à propos de ce qu'elle venait de me dire.

Les Brokaw — c'était bien ça — chez qui Ellen devait se rendre ! Je connaissais très bien Bill Brokaw. Nous étions dans la même classe à Yale. Et soudain, je me souvins ! Je me redressai hors du bain : les Brokaw n'étaient pas à Chicago pour Noël. Ils étaient à Palm Beach !

Je sortis tout dégoulinant de la baignoire, jetai une serviette sur mes épaules et me précipitai dans ma chambre pour téléphoner. J'eus la communication tout de suite : Ellen était déjà partie à la gare.

Par chance, notre voiture était là. J'enfilai mes vêtements sans être sec pendant que le chauffeur amenait la voiture devant la porte. La nuit était froide, sèche et nous gagnâmes rapidement la station en roulant sur la neige dure et crissante. Cet enchaînement imprévu des événements me causait une bizarre sensation d'insécurité qui se dissipa quand j'aperçus la gare brillante dans la nuit sombre. Depuis cinquante ans, ma famille possédait le terrain sur lequel la gare était construite, c'est ce qui justifia en quelque sorte mon audace. Peut-être allais-je me conduire comme

Don Quichotte contre les moulins à vent, mais j'étais si
solidement ancré dans le passé de cette ville que je pouvais
me permettre de braver le ridicule. Toute cette histoire
était mal partie, très mal partie. Je ne croyais plus qu'Ellen ne courait aucun danger : entre elle et la catastrophe
qui la menaçait, il n'y avait que moi — ou la police, ou
le scandale. Sans être un preux, je ne pouvais supporter
l'idée qu'Ellen soit seule à l'affronter.

Il y a trois trains qui vont de Saint-Paul à Chicago; ils
partent tous à quelques minutes d'intervalle vers huit
heures et demie. Je savais qu'elle prenait le *Burlington*.
Il démarrait au moment où je pénétrais dans la gare. Je
savais aussi qu'elle partageait un wagon-salon avec les
demoiselles Ingersell puisque sa mère m'avait dit qu'elle
avait pris le billet. Par conséquent, elle était à l'abri, si
je peux m'exprimer ainsi, jusqu'au lendemain.

Le train suivant était à quai. Je courus et sautai dedans.
Je n'avais oublié qu'une chose, mais assez importante pour
me tenir éveillé toute la nuit. Ce train arrivait dix minutes
après le *Burlington*. C'était suffisant pour qu'Ellen ait le
temps de disparaître dans l'une des plus grandes villes du
monde.

Je donnai à l'employé un télégramme qui devait être
envoyé à ma famille de Milwaukee et le lendemain, à
huit heures, je me frayai un chemin à travers les voyageurs, enjambai les valises entassées dans le couloir et me
précipitai sur le quai en bousculant l'employé. Pendant
quelques instants, je fus étourdi pas l'agitation de la gare
immense, par les sifflets des locomotives qui se répercu-
taient dans le hall, par la fumée. Puis je courus vers la
sortie · c'était ma seule chance de la retrouver.

J'avais deviné juste : elle se tenait devant le bureau
du télégraphe, écrivant à sa mère Dieu sait quel affreux
mensonge. Son visage refléta la peur et la surprise quand

elle me vit — de la ruse aussi. Elle devait penser vite : elle
voulait se sauver mais elle comprenait que ce n'était pas
possible. J'étais trop mêlé à sa vie. Nous nous épiions en
silence, chacun réfléchissant de toutes ses forces.

« Les Brokaw sont en Floride, dis-je au bout d'une
minute.

— C'est gentil de ta part d'avoir fait un tel voyage pour
me l'annoncer.

— Maintenant que tu le sais, ne crois-tu pas qu'il
serait préférable de retourner au Collège ?

— Eddie, laisse-moi tranquille, je te prie, dit-elle.

— J'irai jusqu'à New York avec toi. J'ai décidé de
rentrer plus tôt moi aussi.

— Il vaut mieux que tu me laisses tranquille. »

Elle fronça ses beaux sourcils avec l'air buté d'un animal
qui ne veut pas céder. Elle fit un effort manifeste. La
ruse reparut un instant sur son visage. Puis elle arbora un
sourire joyeux qui voulait me rassurer mais qui ne me
convainquit nullement.

« Eddie, petit imbécile, tu ne crois pas que je suis assez
grande pour me débrouiller toute seule ? »

Je ne répondis pas.

Elle ajouta :

« Je dois retrouver un homme, comprends-tu ? Je veux
seulement le voir aujourd'hui. J'ai mon billet pour le train
de cinq heures. Si tu ne me crois pas, regarde dans mon
sac.

— Je te crois.

— Cet homme, tu ne le connais pas du tout et fran-
chement... je te trouve insolent et impossible.

— Cet homme, je le connais. »

Une fois encore, elle ne se domina pas. Ses traits de
nouveau se crispèrent et elle dit avec une sorte de ricanement :

« Il vaut mieux que tu me laisses tranquille. »

Je pris le formulaire de ses mains et rédigeai un télégramme d'explication pour sa mère. Je la regardai ensuite bien en face et dis brutalement :

« Nous prendrons ce train de cinq heures ensemble. Et je ne te quitterai pas jusque-là. »

Je prononçai cette phrase avec une telle autorité que cela m'encouragea et je crois qu'elle en fut ébranlée. En tout cas, elle céda — du moins provisoirement — et m'accompagna sans protester au guichet où j'achetai mon billet.

Quand j'essaie de rassembler les souvenirs de ce jour-là, je suis en pleine confusion, comme si ma mémoire refusait de les restituer ou ma conscience de les enregistrer. Ce fut une matinée étincelante et douloureuse. Nous la passâmes à errer en taxi dans les rues avant d'aller dans un grand magasin où Ellen prétendit devoir faire des achats. Elle tenta de me semer. J'eus l'impression, pendant une heure, que quelqu'un nous suivait en taxi. J'essayai de l'apercevoir dans le rétroviseur mais je n'y distinguai que le visage d'Ellen dont le sourire était crispé, factice et sans joie.

Toute la matinée, un vent rude avait soufflé du lac mais, quand nous allâmes à Blackstone pour déjeuner, une neige légère commença à tomber et nous nous mîmes à parler avec beaucoup de naturel de nos amis, de détails insignifiants. Et soudain son ton changea. Elle devint sérieuse, me regarda droit dans les yeux avec une bouleversante sincérité :

« Eddie, tu es mon plus vieil ami et ça ne doit pas être très difficile pour toi de me faire confiance. Si je te promets loyalement, si je te donne ma parole d'honneur de prendre avec toi le train de cinq heures, accepteras-tu de me laisser seule quelques heures cet après-midi ?

— Pourquoi ?

— Eh bien — elle hésita et pencha un peu la tête — je crois... que chacun de nous a le droit d'aller dire au revoir...

— Tu veux aller dire au revoir à ce...

— Oui, oui, reprit-elle vivement. Laisse-moi quelques heures. Je te promets loyalement de te retrouver dans le train.

— Alors... je pense que rien de mal ne peut se passer en deux heures. Si tu veux vraiment ne dire qu'au revoir... »

Je relevai brusquement la tête et surpris sur ses traits une telle expression de ruse que je tressaillis de douleur. Ses lèvres s'étaient brusquement retroussées et ses pupilles s'étaient rétrécies. Il n'y avait plus ni loyauté ni sincérité sur ce visage.

Nous nous querellâmes. Ses arguments étaient faibles, moi j'étais réticent. Je ne voulais pas être floué ni me laisser gagner par la contagion du mal. Elle voulait me convaincre que tout était très bien mais elle était trop absorbée — par quoi, je l'ignore — pour inventer une histoire vraisemblable. Elle voulait avant tout deviner ce que je pensais pour en tirer avantage. Après avoir jeté en vrac mille suggestions rassurantes, elle me regardait avidement dans l'espoir que j'allais me lancer dans un sermon dont la fin, comme toujours, lui donnerait raison : elle obtiendrait sa liberté. Mais moi j'avais décidé de l'avoir à l'usure. Deux ou trois fois, elle fut sur le point de pleurer — ce que je voulais, naturellement — mais chaque fois elle se reprit. Parfois aussi je parvins à éveiller son attention — puis soudain, elle s'évadait.

Ce fut sans le moindre remords que je la fis monter dans un taxi vers quatre heures pour prendre le chemin de la gare. Le vent glacial soulevait des tourbillons de neige. Les gens qui attendaient les autobus trop petits pour les contenir avaient tous l'air transis, inquiets, malheureux. J'essayai de me convaincre combien nous étions heureux d'appartenir à un monde privilégié, chaleureux, respectable, qui ne manque de rien grâce à la fortune — mais j'avais l'impresssion que ce monde m'avait abandonné. Quelque chose d'ennemi s'était introduit en nous qui était la négation de tout cela. Ce quelque chose était en nous et autour de nous, dans le taxi, dans les rues que nous traversions. J'étais pris de panique à l'idée qu'Ellen m'entraînait imperceptiblement vers un monde mauvais. Les voyageurs qui s'apprêtaient à monter dans le train me paraissaient appartenir à une autre planète alors que c'était moi qui partais à la dérive, les abandonnant derrière moi.

Ma couchette était dans la même voiture que son compartiment. Une voiture démodée, aux lumières voilées, aux tapis et aux tentures couverts par la poussière de la génération précédente. Il y avait d'autres voyageurs dans la voiture, qui ne me firent aucune impression particulière. Ils évoluaient dans cette atmosphère d'irréalité que je transportais maintenant partout avec moi. Je rejoignis Ellen dans son compartiment, je fermai la porte et nous nous assîmes.

Alors, brusquement, je passai mon bras autour d'elle et l'attirai vers moi, tendrement comme si elle avait été encore une toute petite fille... ce qu'elle était d'ailleurs. Elle résista un peu puis s'abandonna. Mais je sentais son corps se raidir dans mes bras.

« Ellen, dis-je, tu m'as demandé de te faire confiance. Mais toi, n'as-tu pas toutes les raisons du monde de me faire confiance ? Si tu me parlais un peu de cette histoire, ne crois-tu pas que ça te soulagerait ?

— Je ne peux pas, dit-elle tout bas. C'est-à-dire qu'il n'y a rien à raconter.

— Tu as rencontré cet homme dans le train en rentrant

à la maison et tu en es tombée amoureuse, c'est bien ça?

— Je ne sais pas.

— Dis-moi, Ellen, tu es tombée amoureuse de lui?

— Je ne sais pas. Je t'en prie, laisse-moi tranquille.

— Il a sur toi une sorte de pouvoir... appelle-le comme tu voudras. Il essaie de se servir de toi. Il essaie de te soutirer quelque chose. Il n'est pas amoureux de toi.

— Qu'est-ce que ça fait? dit-elle d'une voix faible.

— Ça fait beaucoup. Au lieu d'essayer de combattre ce sentiment, c'est moi que tu combats. Je t'aime, Ellen, m'entends-tu? Je te le dis seulement aujourd'hui mais moi, il y a longtemps que je le sais. Je t'aime. »

Elle me regarda d'un air moqueur. J'avais déjà vu cette expression sur des visages d'ivrognes qui refusaient de se laisser ramener chez eux. Après tout c'était humain mais je n'en essayai pas moins de réveiller sa conscience.

« Ellen, je veux que tu répondes à une question. Est-il dans ce train? »

Elle hésita puis, un peu trop tard, secoua la tête.

« Attention, Ellen. Je vais te demander autre chose et je voudrais de tout mon cœur que tu y répondes. Lorsque tu es venue du collège, quand cet homme est-il monté dans le train?

— Je ne sais pas, dit-elle avec effort... à Pittsburgh, je crois. Il m'a parlé dès que nous avons quitté Pittsburgh. »

A ce moment précis, je sus avec la conscience que vous donne l'incontestable instinct que l'homme était de l'autre côté de la porte. Elle aussi le savait. Le sang quitta son visage qui prit l'expression de l'animal aux aguets. Je plongeai ma tête dans mes mains et essayai de réfléchir.

Nous avons dû rester sans échanger un mot pendant plus d'une heure. J'entrevis les lumières de Chicago, puis celles d'Englewood et de son interminable banlieue. Elles disparurent et ce furent les sombres plaines de l'Illinois.

Le train semblait rouler dans un désert. L'employé frappa
à la porte et demanda s'il pouvait faire le lit. Je refusai
et il s'en alla.

Au bout d'un moment je me rendis compte que le
combat était inévitable. Le but recherché par cet homme
ne pouvait être que criminel. Je n'essayai pas de lui
attribuer une intelligence humaine ou inhumaine. Pour
moi, il s'agissait encore d'un homme, je devais remonter
à son essence — savoir ce qui chez lui remplaçait le cœur
— mais déjà je sentais obscurément ce que j'allais trouver
derrière la porte.

Quand je me levai, Ellen ne sembla pas me voir. Elle
était pelotonnée dans un coin, regardant droit devant elle,
les yeux embrumés comme dans un état second. Je la sou-
levai et glissai sous sa tête deux oreillers, jetai sur ses
genoux mon manteau de fourrure. Puis je m'agenouillai
à son côté et baisai ses deux mains, J'ouvris la porte et
sortis dans le couloir.

Ayant tiré la porte sur moi, je m'y adossai pendant
un instant. Le wagon n'était éclairé que par deux lampes
placées à chaque extrémité. Tout était silencieux. On
n'entendait que le grincement des roues sur les rails et,
quelque part dans un compartiment, le ronflement sonore
d'un dormeur. Je perçus très vite qu'il était près du distributeur d'eau, devant le wagon-fumoir, son melon sur
la tête, le col de son pardessus relevé comme s'il avait
froid, les mains enfoncées dans les poches. Dès que je le
vis, il fit demi-tour et entra dans le fumoir. Je le suivis.
Il s'assit sur le long canapé de cuir, dans le coin le plus
éloigné. Moi, je m'assis dans un fauteuil à côté de la
porte.

Je lui fis signe de la tête et, pour montrer qu'il m'avait
reconnu, il se mit à rire, de son terrible rire silencieux.
Son rire se prolongea. Il semblait qu'il ne s'arrêterait

jamais. Je lui demandai, coupant court aux inutiles politesses :

« D'où êtes-vous ? » du ton le plus banal.

Son rire cessa et il me regarda, les sourcils froncés
comme pour deviner le jeu que je jouais. Quand il consen-
tit à me répondre, il le fit d'une voix étouffée qui semblait
passer à travers une écharpe de soie ou venir de très
loin :

« Je suis de Saint-Paul, Jack.

— Vous rentrez chez vous ? »

Il acquiesça.

« Un bref voyage », poursuivis-je.

Il acquiesça de nouveau mais avec impatience, respira
profondément et me dit d'un ton rude, menaçant :

« Vous feriez mieux de descendre à Port-Wayne, Jack. »

Et soudain je compris que cet homme était mort. Bien
mort. Complètement mort. Cette force qui avait coulé en
lui à Saint-Paul comme du sang dans les veines commençait à l'abandonner. Je voyais distinctement le profil de
l'homme mort à travers le corps matériel qui avait mis
Joe Jelke K. O.

Il reprit, sur un ton saccadé :

« Si vous ne descendez pas à Port-Wayne, Jack, je vous
jetterai hors du train. »

Il remua la main dans sa poche, et je distinguai la forme
d'un revolver.

Je secouai la tête.

« Vous ne pouvez rien contre moi, fis-je. Vous voyez :
je sais. »

Il me lança un regard terrible. Ses yeux me scrutèrent ;
il voulait se rendre compte si je savais oui ou non. Puis
il ricana et fit le geste de se lever :

« Vous allez descendre ici ou c'est moi qui vous ferai
descendre, Jack. » Sa voix était rauque.

Le train ralentissait parce qu'il allait arriver à Port-Wayne. Dans le calme relatif, sa voix sonnait haut mais il ne bougea pas de son siège — sans doute était-il trop faible. Nous nous observions sans faire un geste tandis que les ouvriers longeaient le train pour vérifier les freins et les roues. La locomotive haleta lugubrement à la tête du convoi. Personne ne monta dans notre voiture. L'employé ferma la porte du couloir qu'il traversa. Le train glissa hors de la gare, hors des quais faiblement éclairés pour pénétrer dans la longue obscurité.

Ce qui s'est déroulé par la suite a duré sans doute cinq ou six heures, mais comme cette période, je n'ai pas l'impression de l'avoir vécue dans le temps, elle aurait pu tout aussi bien durer cinq minutes ou une année. Ce fut un combat lent, minutieux, indicible et terrible. Je me mouvais dans une atmosphère d'étrangeté que j'avais respirée tout l'après-midi, mais plus intense, plus insoutenable. Je me cramponnais aux bras de mon fauteuil pour ne pas partir à la dérive, pour m'accrocher au monde des vivants. Mais par moment, n'en pouvant plus, je me laissais glisser et j'étais soulagé parce que je n'avais plus à me soucier de rien. Puis, par un brusque sursaut de ma volonté, je me ressaisissais et réintégrais le wagon-fumoir.

Et je me rendis compte aussi que j'avais cessé de le haïr, cessé de le considérer comme un étranger ; et l'ayant compris, je me mis à grelotter et des gouttes de sueur coulèrent le long de mes tempes.

Sans doute avait-il surpris ma défaillance car il se mit à me parler d'une voix basse, presque douce :

« Vous feriez mieux de partir, maintenant.

— Oh ! non, je ne partirai pas, affirmai-je.

— A votre guise, Jack. »

C'était un pacte d'amitié. Il lisait en moi et voulait m'aider. Il avait pitié de moi. Il valait mieux que je parte avant qu'il ne soit trop tard. Il valait mieux que je m'en aille... *et qu'il aille retrouver Ellen.* Je poussai un faible cri et me redressai :

« Que lui voulez-vous ? fis-je d'une voix tremblante. Faire d'elle une damnée ? »

Il jeta sur moi un regard hébété — celui d'un animal qu'on punit pour une faute dont il n'est pas conscient. J'eus un moment de défaillance mais je repris :

« Elle est perdue pour vous. C'est en moi qu'elle a placé sa confiance. »

Alors il se mit à hurler comme un échappé de l'enfer :

« Vous êtes un menteur. » Sa voix me glaça les os.

« Elle a confiance en moi, répétai-je. Vous n'avez plus aucun pouvoir sur elle. Elle est sauvée ! »

Son visage blêmit encore mais il parvint à se dominer et moi je me sentis de nouveau envahi par une inhumaine indifférence mêlée de faiblesse. A quoi tout cela rimait-il ? A quoi ?

« Il ne vous reste pas beaucoup de temps, parvins-je à lui dire... — et une intuition soudaine me fit découvrir les paroles qui devaient être prononcées, je lui lançai la vérité en plein visage. Vous êtes au bout. Il ne vous reste que quelques heures. Votre corps gît à Pittsburgh, mort. Vous ne pouvez pas aller plus loin. »

Ses traits se décomposèrent, il perdit toute ressemblance avec un être humain, vif ou mort. La pièce s'emplit d'un air glacé. Il fut secoué d'une quinte de toux et d'un rire abominable, se redressa en jurant et me dit :

« Venez voir. Je vais vous montrer. »

Il fit un pas, puis un autre vers moi. Et c'était comme si une porte s'était ouverte derrière moi, toute grande, sur un ténébreux abîme d'abominations. Fut-ce lui qui poussa un cri d'agonie ? Brusquement, ses forces l'abandonnèrent : il s'affaissa sur le sol avec un rauque gémissement...

Je restai assis, incapable de bouger, terrifié et épuisé, je ne sais combien de temps. Je me rappelle seulement — combien de temps plus tard ? — qu'un employé à moitié endormi cirait mes chaussures en face de moi. Par les fenêtres apparurent les flammes des hauts-fourneaux de Pittsburgh déchirant la nuit. Sur le canapé, quelque chose était allongé, trop fragile pour être un homme et trop lourd pour être une ombre. Il s'évanouit sous mes yeux et disparut.

Plus tard, j'ouvris la porte du compartiment d'Ellen. Elle s'était endormie là où je l'avais laissée. Ses joues exquises étaient exsangues mais ses mains étaient paisibles, son souffle calme et régulier. Exorcisée de son démon, elle était épuisée — mais elle était redevenue telle qu'elle était auparavant.

Je l'installai plus confortablement, jetai sur elle une couverture, éteignis la lumière et sortis.

III

Quand je revins à la maison pour les vacances de Pâques, mon premier soin fut de me rendre à la Maison de Jeux. Naturellement, le caissier ne se souvint pas de la rapide visite que je lui avais faite trois mois plus tôt.

« J'essaie de retrouver quelqu'un qui, je crois, venait souvent ici il y a quelque temps. »

Je décrivis l'homme avec précision et lorsque j'eus terminé, le caissier appela un petit bonhomme qui avait l'allure d'un jockey et qui était assis dans un coin. Il semblait très affairé et avoir oublié l'objet de ses préoccupations.

« Hé, petit, tu veux parler à ce type ? Je crois qu'il cherche Joe Varland. »

Le petit homme me jeta un regard méfiant. Je m'assis à côté de lui.

« Joe Varland est mort, mon gars, grommela-t-il. Il est mort l'hiver dernier. »

Je le décrivis de nouveau : son manteau, son rire, son expression habituelle.

« C'est bien Joe Varland que vous cherchez, mais il est mort.

— J'aimerais bien avoir quelques détails sur lui.

— Lesquels ?

— Ce qu'il faisait par exemple.

— Comment je saurais ? Il venait de temps en temps pour jouer au billard.

— Voyons. Je ne suis pas de la police. Je veux seulement des renseignements sur ses habitudes. Il est mort maintenant, donc, ça ne peut pas lui faire du mal. Et je n'en parlerai à personne. »

Il hésita, me dévisagea :

« Eh bien... c'était un grand voyageur. Quelqu'un m'a dit qu'il était mort dans un train... »

Je sursautai. Il continua :

« Attendez un peu. Je me demande qui c'est qui m'a dit ça ? De toute façon, il était à New York, malade, et il a essayé de revenir chez lui. On l'a descendu du train à Pittsburgh, atteint de pneumonie et il est mort là-bas. »

Je hochai la tête. Les morceaux du puzzle commençaient à s'assembler.

« Pourquoi passait-il tellement de temps dans les trains ?

— Comment je pourrais le savoir, mon gars ?

— Peut-être que dix dollars vous rendraient service ? J'aimerais savoir tout ce que vous avez entendu dire à son sujet. »

Le petit homme me répondit à contrecœur :

« Tout ce que je sais, c'est qu'on disait qu'il travaillait dans les trains.

— Il travaillait dans les trains ?

— Il avait une combine dont il n'aimait pas beaucoup parler. Il s'en prenait aux filles qui voyageaient seules. Personne n'a jamais su grand-chose — c'était un gars plutôt discret. Mais il arrivait quelquefois ici, les poches bourrées de fric et il disait que c'étaient les poules qui le lui donnaient. »

Je le remerciai, lui donnai les dix dollars et sortis. J'étais pensif. Je conclus qu'une partie de Joe Varland avait bien quitté le train de Pittsburgh, mais qu'une autre partie avait continué le voyage pour rentrer chez lui. Ellen ne vint pas à la maison pour Pâques mais, même si elle y avait été, je ne lui aurais pas raconté ce que je venais d'apprendre. Pendant l'été, nous nous sommes vus presque tous les jours et nous nous sommes toujours arrangés pour ne jamais parler de lui. Parfois cependant, elle devient brusquement silencieuse, sans raison apparente et, à ces moments, veut être auprès de moi. Je sais ce qu'elle a dans la tête.

Elle a beaucoup de succès et terminera ses études cet automne tandis que moi, j'ai encore deux ans à passer à New Haven mais mon rêve ne me paraît pas aussi irréalisable qu'il y a quelques mois. En un sens, elle m'appartient. Même si je la perds, elle m'appartient. Elle saura toujours que je l'aime et qu'elle peut encore avoir besoin de moi. Ces considérations entrent en ligne de compte. Je vais l'emmener ce soir danser au club et peut-être que durant la soirée il lui arrivera d'être silencieuse, d'avoir un peu peur et de souhaiter que je sois auprès d'elle. Qui sait ? De toute façon, je serai là, je serai toujours là.

UNE INVITATION A LA CHASSE
de
GEORGE HITCHCOCK

Sa première réaction, quand il l'avait reçue, avait été de la jeter au feu. Ils ne faisaient pas partie du même monde et il trouvait présomptueux de leur part, parce qu'ils avaient échangé quelques mots dans les magasins ou qu'ils s'étaient rencontrés par hasard, de l'intégrer dans leurs projets. Naturellement, il les avait souvent vus, se promenant derrière les hauts grillages de fer qui entouraient leur propriété, les femmes vêtues de robes de thé pastel servant des cocktails sur les tables disposées au milieu de la pelouse à l'ombre des parasols rayés, et les hommes, polis et bronzés, portant des smokings ou en vestes de marin. Mais lui ne s'était jamais mêlé à ces grands de ce monde.

Il dit à Emily :

« Le mieux serait de croire que cette invitation m'a été envoyée par erreur.

— Mais comment cela serait-il possible ? répondit sa femme tenant la longue enveloppe entre ses doigts minces et rougis. Il n'y a qu'un seul Fred Perkins à Marine Gardens et le numéro de la maison est parfaitement exact.

— Mais je continue à ne pas comprendre pourquoi j'ai été invité. Oui, pourquoi moi, justement ? »

Tout en l'aidant à enfiler son pardessus et en plaçant soigneusement dans sa poche les deux sandwiches enveloppés dans du papier d'argent, Emily reprit :

« Il me semble que tu devrais être content. C'est un grand pas en avant pour toi. Tu t'es souvent plaint que nous n'avions aucune relation depuis que nous n'habitions plus en ville.

— C'est fantastique, dit Perkins. Et, bien entendu, je n'irai pas. »

Il sortit en courant de sa maison d'un étage, construite dans le style ranch californien, pour aller rejoindre, au bord du trottoir, la voiture qui faisait le ramassage des employés.

Pendant tout le parcours, il rumina ce problème insoluble : comment diable avait-il attiré leur attention ? Avait-il quelque chose dans son allure ou dans ses manières qui le distinguait des autres ? Bien sûr, il y avait eu ce jour où les jeunes étaient arrivés dans la baie, conduisant leur canot de course. Par un hasard extraordinaire, il avait été le seul homme sur la jetée qui pût attraper les amarres. Il se rappelait cependant avec satisfaction la jeune fille blonde et dorée par le soleil qui s'était penchée hors du beaupré, tenant le cordage dans la main : « Tenez ! », avait-elle crié et, au même moment la boucle de cordage avait traversé l'air dans sa direction. Il l'avait saisie et attachée à la bitte, aidant ainsi le canot à s'approcher du quai. « Merci », avait-elle dit, debout de l'autre côté du petit chenal d'eau bleue qui les séparait, mais elle n'avait pas fait mine de le reconnaître lorsque, quelques instants plus tard, le yacht avait été amarré à la jetée. Jamais par la suite elle ne l'avait invité à bord et elle ne l'avait jamais salué lorsqu'il lui était arrivé de la rencontrer sur la jetée. Non, ce n'était pas à cause de cet incident qu'il avait été invité.

Une fois à l'Agence, nageant au milieu d'une mer de factures, il avait tenté de ne plus penser à la question, mais elle s'imposait constamment à son esprit. Finalement, victime de l'inquiétude qui le submergeait, il avait quitté son bureau et s'était dirigé vers le téléphone de l'entrée (il n'osait plus se servir du téléphone de l'Agence pour ses affaires privées depuis qu'il avait reçu des reproches écrits de Henderson). Il introduisit un jeton et appela son partenaire de golf : Bianchi.

Ils se rencontrèrent pour déjeuner dans un restaurant tranquille de Maiden Lane. Bianchi était un jeune homme frais émoulu de l'école de droit et encore facilement impressionné par l'éclat factice de la bonne société. « Voilà qui va lui donner une vive émotion, pensa Perkins, ses parents arrivent en droite ligne d'Italie et sans doute n'a-t-il jamais vu une semblable invitation. »

« La question, dit-il à haute voix, c'est que je ne sais pas exactement pourquoi ils m'ont invité. Je les connais à peine. En même temps, je ne voudrais pas faire quelque chose qui puisse être interprété... comme... euh... comme..

— De la défiance ? proposa Bianchi.

— Peut-être. A moins que tu ne préfères appeler cela de la grossièreté inutile. Nous n'avons pas le droit de méconnaître leur influence.

— Voyons, regardons un peu l'invitation d'abord, dit Bianchi en finissant son vermouth. Tu l'as sur toi ?

— Naturellement.

— Eh bien, fais-la voir. »

Pauvre Bianchi ! Bien sûr qu'il mourait d'envie d'avoir une invitation lui aussi ! Or, avec son mauvais anglais et son acné, il n'en recevait jamais. Perkins prit son portefeuille et il en sortit un carton raide, bordé d'argent, qu'il posa sur la table.

« Elle est gravée, signala-t-il.

— Ces invitations sont toujours gravées, dit Bianchi en mettant ses lunettes bordées d'écaille, mais ça ne prouve rien. S'il n'y a pas le filigrane, elles ne sont pas vraies. »

Il plaça l'enveloppe devant la lumière de la lampe espérant découvrir, imagina Perkins, qu'il s'agissait d'une mauvaise plaisanterie.

« Le filigrane est là, reconnut-il, il est là, bon Dieu ! »

Et Perkins découvrit une nuance de respect dans sa voix lorsqu'il désigna du doigt les deux lions rampants et le bouclier en quartiers. « Il n'y a aucun doute, ça vient de chez les McCoy, les vrais McCoy.

— Et qu'est-ce que je vais faire maintenant ? demanda Perkins avec une note d'irritation.

— Voyons les détails d'abord. »

Bianchi étudia la vieille écriture anglaise gravée :

Nous serions heureux que vous nous fassiez le plaisir d'être des notres a la chasse le 16 aout de cette année. Tenue de chasse de rigueur. R.S.V.P.

« R.S.V.P. veut dire : réponse S.V.P.

— Je le sais.

— Et alors ?

— Le problème, expliqua Perkins d'une voix inutilement haute, c'est que je n'ai pas la moindre intention d'y aller. »

Il se rendait compte que Bianchi le regardait avec des yeux incrédules et cela ne fit que renforcer sa propre décision.

« Pour moi, ce serait une vraie punition d'y aller. Je ne les connais pas et j'ai justement d'autres projets pour le 16.

— Bon, bon, fit Bianchi en essayant de l'apaiser, tu n'as pas besoin de hurler. Je t'entends très bien. »

Les joues rouges d'embarras, Perkins jeta un regard circulaire sur le restaurant et aperçut les yeux chargés de reproches des garçons. Manifestement, la situation difficile

dans laquelle il se trouvait l'avait énervé au point de lui
faire perdre son sang-froid. Il remit rapidement l'invitation dans l'enveloppe et la replaça dans son portefeuille.
Bianchi s'était levé et pliait sa serviette de table.

« Fais comme tu veux, dit-il mais je connais des dou-
zaines d'hommes dans cette ville qui sacrifieraient leur
bras droit pour avoir cette invitation.

— Je ne chasse pas.

— Tu peux toujours apprendre », répondit Bianchi
avec froideur. Puis, appelant le garçon, il paya son addi-
tion et partit.

Pendant ce temps, la nouvelle de l'invitation qu'il avait
reçue s'était vraisemblablement répandue dans l'Agence
car Perkins remarqua qu'on le traitait avec intérêt et respect. Mlle Nethersole, la plus âgée des bibliothécaires,
l'accosta près du distributeur d'eau et lui parla d'une voix
toute en douceur :

« Je suis tellement émue, monsieur Perkins ! Il n'y a
personne dans le bureau qui mérite cette invitation plus
que vous.

— C'est très gentil à vous, répondit-il, et, pour cacher
son embarras il se pencha sur le robinet, mais la vérité
est que je n'irai pas.

— Vous n'irez pas ? » La voix suave comme du miel
(résultat d'innombrables leçons de diction) émit une longue cascade de rires. « Comment dire une chose pareille
et garder son sérieux ? Etes-vous allé au service de la
rotogravure ?

— Non, fit brièvement Perkins.

— Là-bas, il y a tout. Le nom des invités, le nom
des traiteurs, et même un plan du chemin que suivront
les chasseurs. Je donnerais tout au monde pour être invitée
moi aussi. »

« J'en suis sûr », pensa Perkins en jetant un regard sur

la poitrine plate et les épaules carrées de la bibliothécaire, « c'est exactement le genre de sport qui vous conviendrait ». Mais, à haute voix, il ajouta simplement :

« J'ai d'autres engagements. »

Puis il regagna son bureau.

Après le déjeuner, il trouva, glissée sous son bureau, la liste composée par la rotogravure. Comme il savait que tous les yeux de ses collègues étaient braqués sur lui, il n'osa pas la déplier et il l'enfouit dans la poche de sa veste. Plus tard, il se leva d'un air négligent, passa entre les bureaux pour se rendre aux lavabos. Là, dans l'intimité solitaire du cabinet fermé à clef, il prit le papier qu'il ouvrit avec des mains tremblantes et l'installa sur ses genoux. Mlle Nethersole avait raison : la liste des invités était réellement impressionnante. Les noms composés en caractères demi-gras remplissaient trois colonnes ; les titres brillaient comme des diamants au milieu du texte imprimé. Il y avait des généraux, des hommes d'Etat, des industriels, des recteurs d'université, des éditeurs de grands magazines, des vedettes de cinéma, des explorateurs, des producteurs de radio, des banquiers, des écrivains dont les romans avaient gagné des prix internationaux. Mais Perkins n'eut pas le temps d'examiner toute la liste : ses yeux regardaient les syllabes qui dansaient confusément devant lui et finalement se posèrent sur le nom qu'il cherchait inconsciemment : « M. Fred Perkins. » C'était tout. Pas d'autre identification. Il relut son nom quatre fois de suite, puis replia le papier et le remit dans sa poche.

« Eh bien, se dit-il en serrant les lèvres, je n'irai pas et c'est tout. »

Mais apparemment Emily aussi avait vu le papier.

« Le téléphone a sonné toute la journée, l'informa-t-elle dès qu'il fut arrivé à la maison et qu'il eut déposé sa serviette sur la chaise cannée placée près de la Télévision. Naturellement, ils t'envient tous terriblement sans vouloir l'avouer. Ils m'ont accablée de félicitations pour toi. »

Elle l'aida à enlever son veston.

« Viens dans la salle à manger, dit-elle d'un air mystérieux. J'ai une petite surprise pour toi. »

Le téléphone se mit à sonner.

« Non, attends-moi, fit-elle, je ne veux pas que tu y ailles sans moi. J'en ai pour une minute. »

Il demeura debout, mal à l'aise, sautant d'un pied sur l'autre en attendant qu'elle revienne.

« C'étaient les Corrigan, annonça-t-elle. Beth veut que nous allions à une petite réception chez eux le 17. Naturellement, ajouta-t-elle, la date n'est pas accidentelle. Ils espèrent obtenir ainsi tous les détails avant les autres. Viens maintenant. »

Et comme une enfant heureuse un matin de Noël, elle lui prit la main et le conduisit dans la salle à manger.

Perkins la suivit en marmonnant des protestations.

« C'est magnifique, non ? »

Etalées sur la table en acajou (qui n'était pas encore complètement payée), il y avait une paire de culottes de cheval en whipcord, une veste de Tattersall, une redingote rouge avec des boutons de cuivre. Au milieu de la table, à la place réservée généralement au fleurs, se trouvait une paire de bottes étincelantes.

« Et voici l'article assorti, dit-elle en agitant un morceau de soie jaune sous les yeux de son mari. Tu pourras porter une de mes épingles. Celle en onyx et en jade conviendrait très bien. Et j'ai commandé une cravache avec un manche en argent. On nous la livrera demain.

— Tu vas un peu trop vite », dit Perkins.

Il prit les bottes et éprouva le cuir souple et bien ciré.

« Elles doivent coûter très cher. Comment as-tu eu l'argent ? »

Emily éclata de rire.

« Idiot, on a douze mois pour les payer !

— J'aurai l'air ridicule avec cette redingote.

— Mais non. Tu es très beau et j'ai toujours dit que tu avais grande allure.

— Enfin, dit Perkins en hésitant, sans doute pourrai-je rendre tout ça si je n'y vais pas. »

Après le dîner, Bianchi arriva dans sa vieille Studebaker. Il était un peu étourdi par les nombreux cocktails qu'il avait bus. Emily lui ouvrit la porte.

« Fred est dans la chambre en train d'essayer sa nouvelle tenue de chasse. Il va venir d'un instant à l'autre.

— Qui est-ce ? » cria Perkins et, lorsque sa femme lui eut répondu, il enleva vivement sa redingote (qui était un peu serrée sous les bras) et enfila sa veste d'intérieur. Il se souvenait de la scène qui s'était passée dans le restaurant et il avait un peu honte de montrer à Bianchi qu'il n'était plus tout à fait aussi décidé.

« Ecoute, Fred, dit Bianchi quand ils furent assis dans la salle de séjour devant deux « *old Fashioned* », j'espère que tu as enfin changé d'idée... au sujet de... » Il regarda dans la direction d'Emily pour voir si elle était au courant de l'invitation.

« Vas-y, dit Perkins, je lui ai tout raconté.

— Tu peux certainement refuser d'y aller si tu n'en as vraiment pas envie, dit Bianchi de son meilleur ton de juriste, mais je ne te le conseille pas. S'ils se rendent compte que tu leur infliges un affront, ils pourront te compliquer drôlement la vie... et de plus d'une façon !

— Mais c'est ridicule ! intervint Emily. Il ne va pas refuser. N'est-ce pas, chéri ?

— Eh bien... » fit Perkins.

Elle perçut la note d'indécision dans sa voix et continua avec véhémence :

« C'est la première fois que la bonne société reconnaît tes mérites, Fred, il ne peut pas être question que tu refuses l'invitation. Pense à ce que ça représente pour les enfants ! Dans quelques années ils iront au collège. Et tu sais ce que ça veut dire. As-tu vraiment l'intention de continuer à habiter cette maison jusqu'à la fin de tes jours ?

— Cette maison est bien », répliqua Perkins sur la défensive. En même temps qu'il prononçait cette phrase, il se rappela que la maison n'était pas encore complètement payée, ce qui n'empêchait pas Emily de lui trouver des défauts.

« Admettons que cette invitation soit une erreur, poursuivit Emily. Je ne veux pas dire que c'en soit une, mais si l'on admet cette supposition ne fût-ce qu'une minute, ça ne me paraît pas une raison suffisante de refuser.

— Mais je n'aime pas la chasse, interjeta faiblement Perkins, et j'aurai l'air ridicule sur un cheval.

— Pas plus ridicule que quatre-vingt-dix pour cent des autres invités. Penses-tu que le sénateur German évoque véritablement un Centaure ? Et ton patron, M. Henderson ? Il n'a certainement rien d'un joueur de polo.

— Il est invité lui aussi ?

— Bien sûr qu'il l'est. Si tu avais lu la liste un peu plus attentivement, tu le saurais.

— Bien, bien, dit Perkins. Alors, j'irai.

— Je pense que c'est la solution la plus sage », dit Bianchi, essayant de retrouver le style juridique.

Le même soir, Fred écrivit pour accepter. Il fit sa réponse à l'encre et à la plume sur une simple carte de bristol.

« Eux, ils peuvent bien se servir de cartes bordées

d'argent, fit remarquer Emily, mais ils seraient capables de croire qu'on veut crâner si on en faisait autant. »

Elle appela le service des messages, en expliquant :

« Ce n'est pas le genre de lettre qu'on expédie par la poste. »

Et, le lendemain matin, un messager en uniforme allait porter l'acceptation de Fred Perkins dans la loge du gardien.

La semaine suivante passa très vite. Emily fit essayer à son mari la redingote rouge et les culottes de cheval, y porta des marques à la craie et renvoya le tout chez le tailleur pour qu'il procède aux retouches. Elle décida, en fin de compte, que la soie jaune ne convenait pas. « C'est trop criard », observa-t-elle. Alors on la remplaça par une écharpe crème, moins voyante. Les retouches ayant été exécutées, il fallut changer l'épingle de cravate et les boutons de manchettes. Emily choisit une parure en argent niellé. Cette dépense était ruineuse mais la jeune femme vint à bout des objections de son mari.

« Tout dépend de l'impression que tu feras et, si ça va bien, tu seras réinvité et tu pourras toujours mettre les mêmes habits. Les boutons de manchette seront parfaits avec un smoking », ajouta-t-elle en conclusion.

A l'agence, il s'aperçut qu'il était entouré d'une auréole de respect. Le lundi le directeur administratif lui proposa un bureau plus près de la fenêtre.

« Bien sûr, avec l'air conditionné, la différence est moindre qu'au temps jadis. Pourtant la vue qu'on a brise la monotonie de la journée. »

Perkins le remercia pour son attention.

« De rien, répondit Preston. Ce n'est pas grand-chose mais ça vous montre cependant à quel point nous apprécions votre travail ici, monsieur Perkins. »

Et le vendredi après-midi, Henderson lui-même, le chef

de l'Agence, qui était très écouté aux réunions syndicales, s'arrêta près de son bureau. Fred Perkins, à qui Henderson avait à peine adressé un signe de tête en douze ans, fut stupéfait de ce geste.

« J'ai cru comprendre que nous allions nous rencontrer demain, dit Henderson en posant l'espace d'une seconde sa fesse sur le coin du bureau de Perkins.

— Je le pense, dit Perkins sans se compromettre.

— J'espère qu'ils vont nous servir du whisky, bon sang, dit Henderson. Sans doute le punch chaud fait-il partie de la tradition de la vieille vénerie maïs, moi, ça me donne des gaz.

— Je crois bien que je vais emporter une petite bouteille, dit Perkins comme s'il était un habitué des chasses.

— Bonne idée », fit Henderson en se levant.

Et, au moment de franchir la porte du bureau, il se retourna pour jeter par-dessus son épaule :

« Gardez-en une gorgée pour moi, Fred. »

Ce soir-là, après le dîner, Emily mit les enfants au lit. Ensuite, elle et son mari se dirigèrent en se promenant vers Marine Gardens. Ils regardèrent les grandes maisons construites derrière leurs grilles de fer, au-delà des champs. Même de l'endroit éloigné où ils se trouvaient, ils voyaient les signes d'activité. L'allée, sous les ormes, semblait pleine de limousines noires et, sur les pelouses, les employés des traiteurs étaient en train de dresser des tables pour le petit déjeuner du lendemain. Ils aperçurent un lad monté sur une jument marron qui passait la barrière extérieure. Il traînait à la longe une quarantaine de chevaux noirs et bien lustrés qui se dirigeaient vers les écuries situées à une certaine distance.

« Le temps va être splendide, dit Emily lorsqu'ils réintégrèrent leur maison, une petite odeur d'automne un peu aigre flotte dans l'air. »

Perkins ne lui répondit pas. Il était perdu dans ses pensées. Il n'avait pas envie d'aller à cette chasse et une partie de lui s'y refusait encore. Il se rendait compte qu'il était empli d'une appréhension nerveuse qui le faisait trembler. Mais, ça n'avait rien d'étonnant : il affrontait un monde nouveau, il avait peur d'échouer, peur de commettre une gaffe. En un mot, peur de ne pas se montrer à la hauteur. Voilà qui suffisait à expliquer le tremblement de ses mains et les palpitations de son cœur.

« On va rentrer de bonne heure, dit Emily. Tu as besoin de passer une bonne nuit. »

Perkins acquiesça et ils rentrèrent chez eux. Mais, malgré lui, Perkins dormit fort peu cette nuit-là. Il se tourna et se retourna dans son lit, envisageant toutes les humiliations possibles qu'il pourrait subir jusqu'à ce que, à la fin, sa femme se plaignît :

« Tu remues tellement que je ne peux pas fermer l'œil. »

Elle prit son oreiller et une couverture pour aller se coucher dans la chambre des enfants.

Il avait mis le réveille-matin à six heures (il fallait qu'il parte tôt) mais il fut réveillé bien avant :

« Perkins ? Fred Perkins ? »

Il se redressa sur son séant.

« Oui ? »

Il faisait clair mais le soleil n'était pas encore levé. Deux hommes étaient debout dans sa chambre à coucher. Le plus grand des deux — celui qui lui avait secoué l'épaule — était habillé de cuir noir, et coiffé d'une casquette divisée en tranches jaunes et rouges.

« Venez ! Levez-vous ! dit l'homme.

— Dépêchez-vous, ajouta le deuxième homme, plus petit et plus vieux, également vêtu de cuir.

— Que se passe-t-il ? » demanda Perkins, qui était tout à fait réveillé à présent. Son sang battait à toute vitesse.

« Sortez du lit », dit le plus grand des deux hommes et, saisissant les couvertures d'une main, il les rejeta en arrière. Perkins vit alors que l'homme portait sur le devant de son vêtement de cuir les deux lions rampants et le bouclier doré divisé en quartiers. Tremblant, en caleçon, il sortit de son lit. L'air du matin était froid et crissant.

« Que se passe-t-il ? répéta-t-il machinalement.

— La chasse, la chasse, c'est pour la chasse, dit le plus vieux.

— Alors, laissez-moi m'habiller. »

Perkins, en trébuchant, se dirigea vers l'armoire où, dans la pénombre, il voyait la magnifique redingote rouge et les pantalons de whipcord accrochés à un portemanteau, qui semblaient l'attendre. C'est alors qu'il sentit qu'on le frappait avec un petit gourdin dont il n'avait pas remarqué la présence dans la main du plus grand.

« Vous n'en aurez pas besoin », dit son assaillant en riant.

Du coin de l'œil, Perkins vit le plus âgé prendre la redingote et la tenant par les basques, la fendre en deux.

« Qu'est-ce que vous faites ? » commença-t-il mais, avant qu'il n'ait pu terminer, le gros homme habillé de cuir noir lui retourna violemment le bras derrière le dos et le poussa dehors dans l'aube glacée et sans soleil.

En se retournant, il entrevit Emily, en chemise de nuit, sur le seuil de la porte, il entendit son cri d'horreur et le bruit d'une vitre brisée qui tomba lorsque le petit homme claqua la porte. Il traversa la pelouse à toute allure mais les deux gardes-chasse le rejoignirent rapidement. Ils le saisirent sous les aisselles et le poussèrent à travers la rue, à l'endroit où Marine Gardens finissait et où la campagne commençait. Là ils le jetèrent dans les chaumes et le plus petit sortit un fouet.

« Maintenant, cours, espèce de fils de chienne ! » hurla le gros homme.

Perkins sentit la morsure aiguë du fouet sur son dos nu. Il se releva en trébuchant et se mit à courir à travers les champs. Les chaumes blessaient ses pieds nus, la sueur coulait le long de sa poitrine nue et sa bouche se mit à vomir des protestations et des injures incohérentes. Mais il courait, courait, courait. Il avait compris, car déjà il entendait dans les champs dorés par l'été finissant la meute aboyer et le son dramatique du cor de chasse qui sonnait l'hallali.

L'HOMME QUI ÉTAIT PARTOUT
de
EDWARD D. HECH

C'est un mardi que Ray Bankroft, alors qu'il allait à la gare, remarqua pour la première fois l'homme inconnu dans le voisinage. Il était grand et mince. Tout, dans son allure, fit penser à Ray Bankroft qu'il s'agissait d'un Anglais. Pourquoi ? Il aurait pu difficilement l'expliquer mais, à son avis, l'homme avait le type britannique.

Il ne se passa rien à leur première rencontre et la deuxième fut tout aussi fortuite. Ce fut le vendredi soir, à la gare. L'homme devait habiter quelque part, du côté de Pelham, peut-être dans ce nouvel immeuble qu'on venait de terminer.

Ce fut seulement la semaine suivante que Ray commença à le voir partout : l'Anglais se rendait à New York par le même train que lui : celui de 8 h 09. Chez Howard Johnson, il déjeunait à quelques tables de lui. Après tout, se dit Ray, les choses se passent souvent ainsi à New York : pendant une semaine, on ne peut pas faire dix pas sans tomber sur la même personne en dépit des lois de probabilités.

Il ne fut convaincu que l'Anglais le suivait qu'à la fin de la semaine quand il partit pour Stamford pour pique-niquer avec sa femme. En effet, à Stamford, à 75 kilomètres de chez eux, il aperçut le long corps dégingandé de l'Anglais qui déambulait lentement le long des collines, s'arrêtant parfois pour admirer le paysage.

« Bon sang, Linda, s'exclama Ray, voilà le type. Il est de nouveau là !

— Quel type, Ray ?

— Cet Anglais qui habite notre quartier. Celui dont je t'ai dit que je le voyais partout.

— Oh ! c'est lui ? fit Linda Bankroft en fronçant les sourcils derrière les verres teintés de ses lunettes de soleil. Je ne me rappelle pas l'avoir jamais vu.

— Eh bien, il doit habiter dans le nouvel immeuble près de chez nous. Je me demande ce que diable il peut faire par ici. Tu ne crois pas qu'il me suit ?

— Je ne sais pas. Mais l'attitude de ce type est bizarre... »

C'était bizarre, en vérité.

Quand l'été finissant atteignit le mois de septembre, ce fut plus bizarre encore. Une fois, deux fois, trois fois par semaine, le mystérieux Anglais apparaissait, toujours à pied et semblant ne jamais savoir où il allait.

A la fin, Ray Bankroft n'y tint plus : un soir, comme il rentrait chez lui, il s'approcha de l'homme et demanda :

« Est-ce que vous me suivez ? »

L'Anglais baissa les yeux vers son interlocuteur, les sourcils froncés interrogativement :

« Je vous demande pardon ?

— Est-ce que vous me suivez ? répéta Ray. Je vous vois partout.

— Mon cher garçon, sincèrement, vous devez faire erreur.

— Je ne fais pas erreur. Je vous prie de ne plus me suivre. »

L'Anglais se contenta de secouer tristement la tête et s'éloigna. Ray le suivit des yeux jusqu'à ce qu'il eût disparu...

« Linda, je l'ai encore revu aujourd'hui !

— Qui, mon chéri ?

— Ce satané Anglais ! Il était dans l'ascenseur de mon immeuble.

— Es-tu sûr qu'il s'agit du même homme ?

— Naturellement que j'en suis sûr ! Il est partout, je te dis. A présent je le vois tous les jours, dans la rue, dans le train, pendant le déjeuner et aujourd'hui jusque dans mon ascenseur ! Ça me rend fou. Je suis certain qu'il me suit, mais pourquoi ?

— Lui as-tu parlé ?

— Je lui ai parlé, je l'ai injurié, je l'ai menacé mais ça ne sert à rien. Il prend l'air étonné et s'en va. Et le lendemain, il est encore là !

— Peut-être tu devrais prévenir la police ? Mais il ne semble pas qu'il fasse quelque chose de répréhensible.

— C'est bien ce qui me tracasse. Il ne fait rien. Mais il est toujours autour de moi. Ce damné bonhomme me rend fou !

— Et... qu'est-ce que tu vas faire ?

— Je vais te dire ce que je vais faire : la prochaine fois que je le rencontre, je l'attrape et je le roue de coups pour l'obliger à me dire la vérité... »

Le lendemain soir, le grand Anglais était encore là, marchant devant lui sur le quai de la gare. Ray courut après lui mais l'Anglais disparut dans la foule.

Peut-être n'était-ce qu'une coïncidence. Et pourtant...

Un peu plus tard, ce même soir, Ray s'aperçut qu'il n'avait plus de cigarettes. Comme il sortait de son appartement pour aller au drugstore, il sut que l'Anglais l'attendait sur la route.

Quand il passa sous la lumière clignotante du néon, il vit l'homme traversant lentement la rue qui venait de la voie ferrée.

Ray comprit que ce serait la rencontre finale.

« Eh, dites donc, là bas ! »

L'Anglais s'arrêta, le regarda d'un air dégoûté puis se détourna et s'éloigna.

« Eh, vous, attendez-moi une minute ! Nous allons régler cette affaire une fois pour toutes. »

Mais l'Anglais continuait à marcher.

Ray jura et se mit à courir après lui dans l'obscurité. Il cria :

« Revenez ! »

Mais l'Anglais s'était mis à courir.

Ray prit le trot le long de la rue étroite qui suivait la voie ferrée.

« Bon sang ! Revenez ! Je veux vous parler. »

Mais l'Anglais courait de plus en plus vite. Alors Ray s'arrêta, à bout de souffle.

Et devant lui, l'Anglais s'était arrêté aussi.

Ray vit l'éclat de son bracelet-montre lorsqu'il leva la main pour faire un geste. Il comprit qu'il lui faisait signe de le suivre...

Ray se mit à courir.

L'Anglais attendit un instant puis se mit à courir aussi en rasant le mur qui surplombait de huit mètres la voie ferrée.

Dans le lointain, Ray entendit le sifflet de l'express de Stamford déchirant la nuit. Il vit l'Anglais contourner un mur de briques qui faisait saillie au-dessus des rails. Il fut alors hors de sa vue. Quand Ray contourna le mur à son tour il s'aperçut, trop tard, que l'Anglais l'attendait.

Les grandes mains de l'homme s'abattirent sur lui et le projetèrent, par-dessus le mur, sur la voie ferrée. Il essaya désespérément de s'agripper. Ce fut en vain. Quand il atterrit sur les rails, l'express de Stamford était presque sur lui, emplissant l'air d'un fracas infernal.

Un peu plus tard, le grand Anglais tourna les yeux vers la gracieuse silhouette de Linda qu'on discernait à travers un nuage de fumée bleue et murmura :

« Comme je te l'ai toujours dit, ma chérie, un meurtre bien fait est le plus passionnant des jeux d'adresse... »

LES GENS DE L'ÉTÉ
de
SHIRLEY JACKSON

A DIX kilomètres de la ville la plus proche, la maison de campagne des Allison était admirablement située sur une colline. De trois côtés, le regard embrassait des arbres aux frondaisons épaisses, des pelouses qui n'étaient jamais desséchées même en plein été. Du quatrième, on apercevait le lac et la jetée de bois que les Allison projetaient de réparer. Que ce fût de la véranda, ou de l'escalier de bois qui descendait à la rive, le spectacle qui s'offrait aux yeux était toujours aussi beau. Les Allison aimaient beaucoup leur maison de campagne; ils attendaient impatiemment l'été pour venir s'y installer et la quittaient à regret quand venait l'automne; mais ils n'avaient jamais éprouvé le besoin d'y apporter des améliorations : la maison et le lac leur suffisaient pour le temps qu'il leur restait à vivre. La maison n'avait pas de chauffage, pas d'eau courante — ils la prenaient à une pompe rustique installée dans la cour —, pas d'électricité. Pendant dix-sept étés consécutifs, Janet Allison avait préparé les repas et chauffé l'eau sur un réchaud à alcool. Robert Allison assurait la corvée d'eau et lisait son journal à la lumière des lampes à pétrole. Pourtant habitués au confort de la ville, ils s'étaient fort bien accoutumés à cette vie rustique. Ils en avaient plaisanté les deux premières années mais maintenant qu'ils n'éprouvaient plus le besoin d'impressionner les invités, ils en parlaient comme d'un agrément de la vie estivale.

C'étaient des gens ordinaires. Mme Allison avait cinquante-huit ans, il en avait soixante; leurs enfants étaient mariés et passaient leurs vacances dans des stations balnéaires; leurs amis étaient morts ou installés dans des maisons confortables. Ils avaient des neveux et des nièces qu'ils voyaient rarement. L'hiver, ils supportaient leur appartement de New York parce qu'ils attendaient l'été, et l'été, ils se disaient que l'hiver valait la peine d'être vécu parce qu'ils retrouveraient leur maison de campagne l'été.

Ils avaient atteint l'âge où l'on n'a plus honte d'être esclave de ses habitudes. Invariablement, les Allison quittaient leur maison de campagne le mardi qui suivait le premier lundi de septembre et ils ne se consolaient pas quand septembre et le début d'octobre étaient beaux et qu'ils étouffaient en ville. Mais il leur fallut longtemps avant de s'apercevoir que rien ne les rappelant à New York, ils pouvaient changer la date traditionnelle du retour et rester dans leur maison de campagne après le Jour du Travail [1].

« Il n'y a rien qui nous oblige à retourner en ville », dit Mme Allison le plus sérieusement du monde comme s'il se fût agi d'une idée nouvelle.

Et il lui répondit, comme s'ils n'y avaient jamais pensé ni l'un ni l'autre :

« Pourquoi ne profiterions-nous pas de la campagne le plus longtemps possible ? »

En conséquence, avec l'agréable sentiment de se lancer dans une grande aventure, Mme Allison, le lendemain du jour de la Fête du Travail, annonça aux indigènes chez qui elle faisait ses commissions, avec l'air désinvolte de quelqu'un qui rompt avec la tradition, qu'elle et son mari

1. Le Jour du Travail, au U. S. A., est le 1er lundi de septembre (N. d. T.).

avaient décidé de prolonger leur séjour d'un mois, au moins.

« Ce n'est pas comme si quelqu'un nous attendait en ville, confia-t-elle à M. Babcock, l'épicier. Autant profiter de la campagne le plus longtemps possible.

— Personne ne demeure sur le lac passé la Fête du Travail », dit gravement M. Babcock en rangeant les provisions de Mme Allison dans une grande boîte en carton.

Il s'arrêta quelques instants pour réfléchir, les yeux fixés sur un paquet de biscuits.

« Personne, ajouta-t-il.

— Mais en ville — Mme Allison parlait toujours de la ville comme si M. Babcock rêvait d'y aller — il fait tellement chaud ! Vous ne pouvez pas vous imaginer. Nous sommes toujours désolés de partir.

— Déteste partir », dit M. Babcock.

L'un des tics qui irritaient le plus Mme Allison, c'était cette habitude qu'avaient les indigènes de répéter une partie de phrase et de la déformer !

« Je détesterais m'en aller, moi », dit M. Babock après en avoir délibéré avec lui-même.

Mme Allison et M. Babcock se sourirent mais il répéta :

« Je n'ai jamais entendu parler de quelqu'un qui avait décidé de rester à la campagne après le jour de la Fête du Travail.

— Eh bien, nous, nous allons essayer », dit Mme Allison.

Et M. Babcock répliqua gravement :

« On peut pas savoir avant d'avoir essayé. »

Comme chaque fois qu'elle quittait l'épicerie après l'une de ces vaines conversations, Mme Allison pensa : « Physiquement, M. Babcock pourrait servir de modèle au sculpteur Daniel Webster, mais intellectuellement... » C'était affreux de voir à quel point les habitants de la Nouvelle-

Angleterre avaient dégénéré. Elle le dit à M. Allison quand elle le retrouva dans la voiture.

« C'est à cause des mariages consanguins. Ça et la mauvaise qualité de la terre. »

C'était le jour de leur grand voyage en ville, qu'ils faisaient toutes les deux semaines pour y acheter ce qu'on ne pouvait leur livrer à domicile. Ils s'arrêtèrent à la buvette pour manger un sandwich, laissant leurs emplettes dans le coffre de la voiture. Mme Allison aurait pu passer sa commande par téléphone à M. Babcock mais, outre les produits d'épicerie, M. Babcock vendait des légumes et des confiseries fraîches auxquels elle ne pensait qu'en les voyant. Elle avait été tentée aussi, au cours de ses achats, par des plats en verre pour la pâtissserie qu'elle avait découverts par hasard au rayon de quincaillerie et qui semblaient attendre son bon plaisir. Car les gens de la campagne sont peu attirés par ce qui n'est pas aussi durable que les arbres, les rochers, le ciel; ils commençaient seulement à renoncer à la fonte en faveur de l'aluminium comme ils avaient renoncé à la poterie pour le fer.

Mme Allison avait veillé elle-même à l'emballage de ses plats pour qu'ils puissent supporter sans dommage les cahots de la route, qui était rocailleuse, jusqu'à leur maison. C'était M. Charley Walpole qui, avec son frère cadet Albert, dirigeait le magasin de quincaillerie-confection-etc.-Johnson. Il s'appelait ainsi parce qu'il avait été construit sur l'emplacement de la cabane de Johnson qui avait brûlé cinquante ans auparavant, avant la naissance de Charley Walpole. Ce dernier dépliait laborieusement des journaux pour en empaqueter les plats et Mme Allison dit d'un ton négligent :

« Bien sûr, j'aurais pu attendre et acheter ces plats à New York, mais nous n'y retournons pas aussi tôt, cette année.

— J'ai entendu dire que vous restiez plus longtemps »,
dit Charley Walpole tandis que ses vieux doigts froissaient
maladroitement le papier.

Il poursuivit, sans regarder Mme Allison :

« Je sais pas comment c'est de rester au bord du lac
après la Fête du Travail.

— Voyez-vous, répliqua Mme Allison comme si elle
fût tenue à lui fournir une explication, chaque année il
nous a semblé qu'on se pressait trop de rentrer à New
York. Vous savez comment est la ville en automne. »

Et elle lui adressa un sourire comme pour quêter son
approbation. Il passait régulièrement la ficelle autour du
colis. Elle pensa : « S'il continue, toute la pelote va y
passer », mais elle détourna la tête pour qu'il ne puisse
pas lire de l'impatience dans ses yeux. Elle reprit :

« J'ai l'impression que notre vraie place est ici, surtout
quand les autres seront partis. »

Pour donner plus de poids à son affirmation, elle quêta
par un sourire l'approbation d'une femme qui se tenait
à l'autre bout du magasin et dont le visage ne lui était
pas inconnu. Etait-ce la femme qui lui avait vendu des
fraises l'autre année ? Ou celle qui aidait quelquefois
M. Babcock à l'épicerie ? Sans doute était-ce la tante de
M. Babcock.

M. Walpole poussa délicatement le paquet sur le comptoir : les plats étaient vendus, empaquetés, il était disposé
maintenant à accepter de l'argent. Il répéta cependant :

« Eh bien, nous n'avons jamais vu d'estivants demeurer
sur le lac après la Fête du Travail. »

Mme Allison lui donna un billet de cinq dollars et il
rendit la monnaie méthodiquement, soupesant chaque
cent.

« Jamais après la Fête du Travail », dit-il encore en
adressant un petit signe de tête à Mme Allison avant

de se diriger vers deux clientes en robe de cotonnade.

Lorsque Mme Allison les croisa, elle entendit l'une d'elles déclarer sur un ton aigu :

« Je me demande pourquoi cette robe vaut 1 dollar 39 *cents* et l'autre 98 *cents* ! »

Mme Allison expliqua à son mari, quand elle le retrouva devant la porte de la quincaillerie :

« Ce sont des gens étonnants ! Raisonnables, honnêtes, immuables.

— Il est réconfortant de penser qu'il y a encore des villes comme celle-là, dit M. Allison.

— Sans doute à New York j'aurais payé ces plats quelques *cents* en moins, mais je n'aurais pas eu cette impression de contact humain que j'ai éprouvée ici. »

Mme Martin, qui tenait le kiosque à journaux et vendait aussi des sandwiches, leur demanda :

« Vous restez sur le lac ? J'ai entendu dire que vous restiez.

— On a pensé profiter encore du beau temps, cette année. »

Mme Martin était considérée comme nouvelle venue dans la ville. Elle avait quitté une ferme voisine pour épouser le propriétaire du kiosque à journaux où l'on débitait également des sandwiches et elle y était restée après la mort de son mari. Elle vendait encore des boissons non alcoolisées et des œufs frits aux oignons qu'elle faisait cuire dans son arrière-boutique avant de les déposer sur d'épaisses tranches de pain. Il venait aussi parfois, de l'arrière-boutique, une bonne odeur de ragoût ou de côtelette de porc que Mme Martin préparait pour son dîner.

« Je ne crois pas que, jusqu'à présent, un estivant soit resté aussi longtemps sur le lac, en tout cas, jamais après la Fête du Travail.

— Je crois que les gens s'en vont généralement le jour

de la Fête du Travail », leur dit un peu plus tard M. Hall, leur plus proche voisin, quand il les rencontra près du magasin de M. Babcock au moment où les Allison montaient en voiture. « Je suis surpris que vous restiez.

— Ce serait dommage de partir si tôt », répondit Mme Allison.

M. Hall habitait à quatre kilomètres de la maison des Allison. Il leur fournissait le beurre et les œufs et, du haut de leur colline, ils apercevaient ses lumières avant d'aller se coucher.

« Mais les estivants s'en vont chaque année le jour de la Fête du Travail », dit M. Hall.

Le retour à la maison fut long et pénible. Il commençait à faire sombre et M. Allison devait conduire très prudemment sur la route poussiéreuse qui longeait le lac. Mme Allison, appuyée au dossier de son siège, se détendait agréablement après ce tourbillon d'activité qui contrastait avec le cours paisible de leur vie quotidienne. Elle pensait aux plats de verre, au panier empli de pommes rouges, au papier de couleur dont elle allait tapisser les pièces de sa cuisine.

« C'est bon de rentrer chez soi », murmura-t-elle quand ils aperçurent leur maison se découpant sur le ciel.

Le lendemain Mme Allison passa la matinée à laver amoureusement ses plats en verre et remarqua que Charlie Walpole, dans sa simplicité, n'avait pas vu que l'un d'eux était ébréché. Elle résolut de faire une folie : une tarte avec les pommes à manger au couteau qu'elle avait achetées. Le gâteau était au four, M. Allison était descendu chercher le courrier dans la boîte, Mme Allison alla s'asseoir sur la pelouse qui dominait le lac pour contempler les reflets qui, au gré des nuages, passaient du gris au bleu.

M. Allison revint d'assez mauvaise humeur, comme cha-

que fois qu'il était obligé de parcourir les quinze cents
mètres qui séparaient la maison de la boîte à lettres placée
sur la grand-route, pour revenir les mains vides. On lui
avait pourtant maintes fois répété que cette promenade
était excellente pour sa santé. Il n'y avait ce matin qu'un
prospectus d'un grand magasin de New York et le journal
dont l'arrivée était des plus fantaisistes. Il leur en arrivait
quelquefois trois le même jour mais plus souvent les Allison n'en recevaient aucun. Bien qu'elle partageât l'irritation de son mari, Mme Allison n'en laissa rien paraître
et elle se jeta sur le prospectus. Quand elle serait de retour
à New York, elle ne manquerait pas de visiter ce magasin
qui annonçait des soldes de couvertures. C'était si difficile,
aujourd'hui, d'en trouver de bonne qualité et de couleur
plaisante. Devait-elle garder la circulaire ? Mais en ce
cas, il lui fallait se lever pour aller la ranger. Elle la
laissa tomber dans l'herbe, à côté de sa chaise, et
appuya sa tête contre le dossier en fermant à demi les
yeux.

« On dirait qu'il va pleuvoir, dit M. Allison en louchant
vers le ciel.

— C'est bon pour les récoltes », répondit laconique-
ment Mme Allison, et tous deux se mirent à rire.

Le livreur de pétrole vint le lendemain matin, pendant
que M. Allison était parti chercher le courrier. Leur pro
vision diminuait et Mme Allison accueillit l'homme avec
chaleur. Outre le pétrole, il livrait aussi la glace, et pendant l'été, ramassait les ordures des estivants.

« Je suis contente de vous voir, dit Mme Allison. Il ne
nous reste plus beaucoup de pétrole. »

Le livreur, dont Mme Allison n'avait jamais pu se rappeler le nom, utilisait un long tuyau pour emplir le réservoir de quatre-vingts litres. Le pétrole servait aux Allison
de carburant et de combustible. Mais ce jour-là, au lieu de

descendre de son camion et de dérouler le tuyau qui en-
laçait étroitement le véhicule, l'homme, sans arrêter son
moteur, fixa Mme Allison sévèrement :

« Je croyais que vous partiez ? dit-il.

— Nous restons encore un mois, fit gaiement Mme Allison. Le temps est si beau et il semble que...

— C'est ce qu'on m'a dit, coupa l'homme. Eh ben, je
ne peux pas vous donner de pétrole.

— Quoi ? — Mme Allison souleva très haut ses sourcils
— mais nous avons besoin...

— Après la Fête du Travail, on me donne très peu de
pétrole. »

Comme chaque fois qu'elle n'était pas d'accord avec ses
voisins, Mme Allison pensait que les usages de la ville ne
sont pas les mêmes que ceux de la campagne. On ne peut
pas espérer convaincre un travailleur de la campagne avec
les mêmes moyens qu'un travailleur de la ville. Aussi
sourit-elle d'un air engageant :

« Mais ne pouvez-vous pas en obtenir davantage, du
moins tant que nous sommes là ?

— Vous comprenez, dit l'homme en tapotant nerveusement son volant, vous comprenez... j'ai déjà passé ma
commande de pétrole à 80 kilomètres d'ici. Je passe ma
commande en juin, juste la quantité qu'il me faut pour
l'été. Puis je passe une nouvelle commande en novembre...
et maintenant, je commence à être un peu juste.

— Mais voyons, insista Mme Allison, vous pouvez bien
nous en donner un peu ? N'y a-t-il pas un autre fournis-
seur ? »

L'homme s'était arrêté de tapoter son volant et l'avait
empoigné, prêt à prendre le départ :

« J'vois pas qui d'autre pourrait vous fournir du pétrole en ce moment. Moi, j'peux pas. »

Le camion démarra avant que Mme Allison n'ait eu le

temps d'ouvrir la bouche. Puis il s'arrêta et l'homme regarda à travers la vitre arrière.

« Et la glace ? cria-t-il. Si vous voulez, j'peux vous en donner. »

Mme Allison secoua la tête. Elle n'avait pas besoin de glace et elle était en colère. Elle courut après le camion.

« Pouvez-vous essayer de nous livrer du pétrole la semaine prochaine ?

— J'crois pas, répondit l'homme. Après la Fête du Travail, c'est difficile. »

Le camion s'éloigna. Mme Allison se consola en pensant qu'elle pourrait s'en procurer chez M. Babcock ou, en mettant les choses au pire, chez les Hall.

« L'été prochain, il pourra toujours venir me proposer son pétrole », pensa-t-elle pleine de rancœur.

Ce jour-là, encore, il n'y eut pas de courrier sauf le journal qui, par hasard, arriva à la date prévue. M. Allison était réellement fâché et quand Mme Allison lui raconta l'histoire du pétrole, il n'en parut pas ému outre mesure. Il expliqua :

« Il le garde, sans doute, pour le vendre plus cher cet hiver. Qu'est-ce qui se passe avec Anne et Jerry, à ton avis ? »

Anne et Jerry étaient leurs enfants, mariés tous deux, l'un vivant à Chicago, l'autre dans l'Ouest. Leurs lettres hebdomadaires étaient en retard. Tellement en retard que l'irritation de M. Allison était justifiée.

« Ils savent bien pourtant avec quelle impatience nous attendons leurs lettres ! Ce sont des enfants égoïstes, sans délicatesse.

— Allons, mon chéri », dit Mme Allison essayant de le calmer.

Se mettre en colère ne résoudrait pas le problème du pétrole, pensait Mme Allison qui ajouta, quelques minutes plus tard :

« Il ne suffit pas de désirer des lettres pour qu'elles arrivent. Je vais aller téléphoner à M. Babcock pour qu'il m'envoie du pétrole en même temps que la commande.

— Ils auraient pu au moins envoyer une carte postale », dit M. Allison comme elle s'en allait.

De même qu'ils supportaient sans se plaindre tous les inconvénients de leur maison, les Allison subissaient, résignés, ceux du téléphone. C'était un appareil mural comme il n'en existe plus guère que dans quelques villages. Pour obtenir le bureau de poste, Mme Allison était obligée de tourner la manivelle et de sonner une fois. En général, il fallait répéter cette manœuvre à plusieurs reprises avant que la téléphoniste consentît à répondre. Aussi était-ce avec résignation et une sorte de patience désespérée que Mme Allison se dirigea vers le téléphone. M. Babcock mit encore plus de temps que la téléphoniste à décrocher l'appareil situé derrière le comptoir de boucherie.

« Ici, l'épicerie Babcock, fit-il avec une méfiance qui révélait son esprit soupçonneux.

— C'est Mme Allison à l'appareil, monsieur Babcock. Je crois préférable de vous passer ma commande un jour plus tôt afin d'être sûre que vous puissiez me livrer...

— ...Qu'est-ce que vous dites, madame Allison ? »

Mme Allison éleva un peu la voix. Elle apercevait M. Allison sur la pelouse. Il tourna la tête et lui jeta un regard compatissant.

« Je disais, monsieur Babcock, que je vous passais ma commande un jour plus tôt pour que vous puissiez me livrer...

— Vous allez venir prendre la commande au magasin, madame Allison, dit M. Babcock.

— La prendre au magasin ? »

La surprise lui avait fait reprendre sa voix normale :

« La prendre au magasin ? »

M. Babcock au contraire parla plus fort :

« Qu'est-ce que vous dites, madame Allison ?

— Je pensais que vous alliez me livrer, comme d'habitude.

— Voyons, madame Allison », dit M. Babcock...

Il s'arrêta. Mme Allison attendait, regardant le ciel par-dessus la tête de son mari. M. Babcock finit par reprendre :

« Je vais vous dire. Le garçon qui travaillait pour moi est retourné à l'école hier et je n'ai plus personne pour faire les livraisons. Il n'y a que l'été que j'ai un livreur, vous comprenez ?

— Je croyais que vous pouviez livrer *toute l'année*.

— Pas après la Fête du Travail, dit M. Babcock avec fermeté. C'est la première fois que vous restez aussi longtemps ici. Alors, vous ne savez pas comment ça se passe.

— Dans ce cas », dit Mme Allison, à bout d'arguments...

Et elle ne cessait de se répéter : « Inutile de traiter les gens de la campagne comme les gens de la ville. Il n'y a pas de quoi se mettre en colère. »

« Ce n'est vraiment pas *possible* ? demanda-t-elle encore. Vous pourriez peut-être me livrer aujourd'hui.

— A dire vrai, madame Allison, je crois que je ne peux pas. Ça ne vaut pas la peine d'aller jusqu'au lac pour un seul client.

— Et les Hall ? Ils habitent à quatre kilomètres et demi de chez nous. M. Hall pourrait m'apporter la commande ?

— Hall ? John Hall ? répéta M. Babcock. Ils sont partis voir leur famille.

— Mais ils nous apportent le beurre et les œufs ! dit Mme Allison prise de panique.

— Ils sont partis hier. Ils ont pas dû penser que vous restiez encore.

— Mais j'ai dit à M. Hall, commença Mme Allison... —

puis, elle s'arrêta — M. Allison passera prendre l'épicerie chez vous demain.

— Jusque-là, vous avez tout ce qu'il vous faut », dit M. Babcock avec satisfaction.

Il ne demandait pas, il affirmait.

Après avoir raccroché, Mme Allison rejoignit son mari dans le jardin et s'assit à côté de lui :

« Il ne veut pas livrer. Il faudra que tu y ailles demain. Nous avons juste assez de pétrole jusque-là.

— Il aurait pu nous le dire plus tôt. »

Il faisait trop beau pour continuer à se tourmenter : la campagne n'avait jamais été plus attrayante; au-dessous du jardin, le lac frissonnait à travers les arbres. Le paysage était d'une indicible douceur. Mme Allison soupira d'aise : c'était merveilleux d'avoir pour eux seuls la vue sur le lac, sur ces vertes collines, d'être seuls à jouir de la douceur du vent.

Le temps continua à être beau. Le lendemain matin, M. Allison, porteur d'une liste pour l'épicier en haut de laquelle le mot « pétrole » s'étalait en lettres capitales, descendit le sentier vers le garage tandis que sa femme confectionnait une autre tarte dans son nouveau moule. La pâte pétrie, elle pelait les pommes lorsque M. Allison revint et ouvrit toute grande la porte de la cuisine :

« Cette satanée voiture ne veut pas partir ! annonça-t-il au paroxysme de la colère comme si sa voiture lui était aussi nécessaire que ses bras.

— Qu'est-ce qu'elle a ? demanda Mme Allison, un couteau dans une main et une pomme dans l'autre. Elle marchait très bien mardi.

— Peut-être, fit M. Allison entre ses dents, mais vendredi, elle ne marche plus.

— Tu ne peux pas la réparer ?

— Non. Je ne peux pas. Il faut faire venir quelqu'un.

— Qui ? demanda Mme Allison.

— Le gars du poste d'essence. C'est déjà lui qui l'a arrangée l'été dernier », dit M. Allison en se dirigeant vers le téléphone.

Mme Allison se remit à peler ses pommes, appréhendant ce qui allait se passer. M. Allison se battait avec le téléphone, sonnait, resonnait, attendait de nouveau. Trois fois de suite il dut redonner le numéro. Finalement, il raccrocha bruyamment l'écouteur.

« Il n'y a personne, dit-il en revenant dans la cuisine.

— Il est sans doute sorti pour quelques minutes », suggéra-t-elle, mais elle commençait à s'énerver.

Pourquoi se sentait-elle si nerveuse ? Peut-être parce qu'elle redoutait de voir son mari perdre complètement son sang-froid ?

« Il est seul au poste d'essence, reprit-elle. S'il s'absente, il n'y a personne pour répondre au téléphone.

— Tu as sans doute raison », répliqua M. Allison, mais il y avait dans sa voix une ironie inhabituelle.

Il se laissa tomber sur une chaise et observa Mme Allison qui continuait de peler ses pommes. Au bout de quelques instants, elle lui dit pour le consoler :

« Tu devrais descendre chercher le courrier et tu rappellerais en revenant. »

M. Allison réfléchit avant de répondre :

« Bon, d'accord. »

Il se leva pesamment et se retourna sur le pas de la porte :

« Mais s'il n'y a pas de courrier... »

Il n'acheva pas sa phrase et ce fut dans un silence menaçant qu'il gagna le sentier.

Mme Allison se dépêcha de terminer sa tarte. Deux fois, elle alla jusqu'à la fenêtre pour voir si le ciel se couvrait. La pièce était sombre et elle se sentait tendue

comme à l'approche de l'orage. Pourtant le ciel était clair
et serein, parfaitement indifférent à ce qui se passait dans
la maison d'été des Allison et dans le reste du monde. La
tarte prête à être mise au four, Mme Allison regarda encore par la fenêtre et vit son mari qui remontait le sentier.
Il agita la main dès qu'il l'aperçut : il avait une lettre.

« C'est de Jerry ! cria-t-il quand il fut à portée de
voix... Enfin, une lettre ! »

Mme Allison remarqua avec inquiétude qu'il montait
avec difficulté le sentier, d'accès facile, pourtant. Il souf-
flait péniblement quand il poussa la porte :

« J'ai attendu d'être arrivé pour l'ouvrir », dit-il.

Mme Allison se surprit à examiner avec une curiosité
qu'elle ne pouvait pas s'expliquer l'écriture pourtant familière de son fils. Elle n'avait aucune raison de se sentir
surexcitée à ce point. Bien sûr, elle n'en avait pas reçu
depuis longtemps. Ce devait être une lettre gentille, respectueuse, racontant dans les moindres détails ce que faisaient Alice et les enfants, parlant de sa situation qui
s'améliorait, du climat de Chicago et se terminant par
des baisers. M. et Mme Allison auraient aussi bien pu
réciter par cœur la lettre-type que leurs enfants avaient
l'habitude de leur envoyer.

M. Allison décacheta l'enveloppe avec lenteur, déplia la
lettre et la posa sur la table de la cuisine. Ils se penchèrent
pour la lire ensemble. « Chère maman, cher papa — l'écriture de Jerry était un peu enfantine — je suis heureux
de vous envoyer cette lettre au bord du lac, comme d'habitude. Il y a longtemps que nous pensions que vous reve-
niez trop tôt en ville et que vous devriez rester là-bas le
plus longtemps possible. Alice dit que maintenant vous
n'êtes plus tellement jeunes et que vous n'avez aucune
occupation qui vous réclame en ville. Amusez-vous autant
que vous le pouvez encore. Et puisque vous êtes heureux

là-bas, tous les deux, c'est une excellente idée de prolonger votre séjour. »

Mal à l'aise, Mme Allison jeta un coup d'œil vers son mari. Il lisait avec grande attention. Elle prit l'enveloppe vide sans trop savoir ce qu'elle en attendait. L'adresse était écrite, comme d'habitude, de la main de Jerry et portait le cachet de la poste de Chicago. Evidemment, pensa-t-elle, pourquoi aurait-elle été postée ailleurs ? Lorsqu'elle reprit la lecture, son mari avait tourné la page : « ...et naturellement, s'ils attrapent la rougeole maintenant, ils en seront débarrassés. Alice va bien; moi aussi. J'ai joué souvent au bridge ces derniers temps avec des gens que vous ne connaissez pas, les Carruther, un couple charmant qui a à peu près le même âge que nous. Je vais m'arrêter là parce que je pense que ça ne vous amuse pas qu'on vous raconte des histoires qui se passent si loin de vous. Dis à papa que le vieux Dickson, de notre bureau de Chicago, est mort. Il demandait souvent des nouvelles de papa. Passez un bon séjour au bord du lac et ne vous pressez pas de rentrer. Bons baisers de nous tous. Jerry. »

« C'est curieux, commenta M. Allison.

— On ne dirait pas que c'est Jerry qui a écrit cette lettre, dit-elle d'une petite voix. Il ne nous a jamais écrit des choses de ce genre... »

Elle s'arrêta.

« De quel genre ? demanda M. Allison. Quel genre de choses écrivait-il ? »

Mme Allison retourna la lettre en fronçant les sourcils. Il était impossible de découvrir une phrase, un mot qui ne ressemblât pas à ce que Jerry écrivait d'habitude. C'était peut-être parce que cette lettre était arrivée avec tellement de retard ou parce que l'enveloppe était maculée de taches de doigts ?

« Je ne sais pas, dit-elle avec impatience.

— Je vais encore essayer de téléphoner », dit M. Allison.

Mme Allison relut deux fois la lettre sans découvrir une phrase qui n'eût pas sonné vrai. M. Allison revint et dit d'une voix calme :

« Le téléphone est mort.

— Quoi ? s'écria Mme Allison en laissant tomber sa lettre.

— Le téléphone est mort », répéta M. Allison.

Le reste de la journée passa rapidement. Ils déjeunèrent de biscuits et de lait puis ils s'assirent sur la pelouse. Dans l'après-midi, les nuages commencèrent à s'accumuler au-dessus du lac puis gagnèrent le ciel au-dessus de la maison. Avant quatre heures, il fit complètement noir. Toutefois l'orage n'éclatait pas, il semblait prendre un malin plaisir à se faire attendre. De temps en temps, un éclair zébrait le ciel mais la pluie ne se décidait pas à tomber. Dans la soirée, M. et Mme Allison, blottis l'un contre l'autre, écoutèrent le transistor qu'ils avaient apporté de New York. Il n'y avait que le cadran lumineux du poste pour éclairer la maison et, de temps en temps, le bref éclat d'un éclair.

Le tumulte des orchestres sortant de ce poste minuscule semblait près de faire éclater la maison.

Entre deux annonces publicitaires, Mme Allison regarda son mari et lui sourit faiblement :

« Je me demande s'il y a quelque chose qu'on... puisse faire.

— Non, dit M. Allison après avoir réfléchi. Je ne crois pas. Il n'y a qu'à attendre. »

Mme Allison poussa un soupir et M. Allison éleva la voix pour dominer le bruit de l'orchestre de danse :

« La voiture a été sabotée, tu sais. Même moi je m'en suis rendu compte. »

Mme Allison hésita un instant avant de dire d'une voix très douce :

« Sans doute les fils du téléphone ont-ils été coupés ?
— Probablement. »

La musique de danse s'arrêta. Ils écoutèrent attentivement les nouvelles. La voix harmonieuse du speaker décrivit, sans reprendre haleine, les fastes d'un mariage à Hollywood, les résultats d'un match de base-ball, annonça l'augmentation possible des produits alimentaires pour la semaine à venir. Il leur parlait comme s'ils avaient encore le droit d'entendre les nouvelles d'un monde auquel ils n'étaient plus reliés que par les piles mourantes d'un poste dont la voix faiblissait. Pourtant, si ténu que fût ce fil, c'était seulement par lui qu'ils étaient encore reliés au monde.

Mme Allison jeta un regard vers le lac lisse, la masse obscure des arbres, sur le ciel gonflé d'orage et dit, pour ne pas laisser mourir la conversation :

« Je suis un peu rassurée par la lettre de Jerry.
— J'ai tout compris hier soir en ne voyant pas de lumière chez les Hall. »

Le vent se leva brusquement, tourbillonna autour de la maison d'été, secoua furieusement les fenêtres. Instinctivement, les Allison se rapprochèrent et lorsque le premier coup de tonnerre retentit, M. Allison prit la main de sa femme. Et quand l'éclair déchira le ciel et que la radio se tut, les deux vieux époux, seuls dans leur maison d'été, se serrèrent l'un contre l'autre et attendirent.

COURTOISIE DE LA ROUTE

de

MACK MORRISS

CARTER BETHANE se tenait debout à l'arrière du camion, accoudé au toit de la cabine; le vent lui fouettait le front avec la pointe de ses longues mèches brunes et cela faisait comme des tas de petites aiguilles qui le piquaient sans arrêt, à tel point que son front s'engourdit petit à petit et qu'il finit par ne plus rien sentir.

Il n'avait pas remarqué non plus les regards des hommes du camion, leurs regards apitoyés, quand ils s'étaient arrêtés pour le laisser monter et l'emmener en ville. Il avait bien vu leurs yeux, mais son esprit était tout engourdi.

Cela durait déjà depuis des jours.

Quand le shérif était arrivé, Carter Bethane était en train de tirer sur la manche de sa vieille chemise de G. I., celle de sa démobilisation, avec l'insigne jaune dont les bords rebiquaient et qui était devenu presque blanc. Il avait longuement contemplé les taches de sang sur l'étoffe décolorée par de nombreux lavages. Jusqu'à la trace des galons de sergent qui avait presque disparu, elle aussi. Le sang, par contre, était frais — d'un rouge sombre — et il continuait à le regarder tandis que l'engourdissement s'emparait de lui.

Il avait parlé doucement, tout désorienté.

« J'étais en train de travailler dans mon carré de tabac

quand je l'ai vue s'en aller vers la route. Mais je n'y ai
pas fait attention. Elle savait qu'elle ne devait pas aller
sur la route. Pour ça elle était très sage, elle n'allait jamais
bien loin. J'ai dit à Anne que j'irais la chercher. »

Il jeta un coup d'œil sur sa manche de chemise. « J'en
viens. »

Le shérif l'avait écouté, mal à l'aise. Il s'appuyait tantôt
sur une jambe, tantôt sur l'autre et le cuir de sa ceinture
et de son étui de revolver craquait chaque fois qu'il chan-
geait de jambe. Sa voix était presque douce quand il avait
demandé : « Tu n'as vu aucune voiture, hein, Carter ?

— Les collines empêchent de voir la route d'où j'étais.
Je n'ai rien vu, shérif, dit Carter Bethane lentement. J'ai
seulement entendu. Il y a eu seulement deux véhicules qui
sont passés. »

Si le mot « véhicule » avait une consonance bizarre,
Carter ne s'en rendait pas compte. Dans l'Armée, n'importe quel engin de transport s'appelait un véhicule, quels
que fussent son poids et ses dimensions. Carter Bethane
était resté longtemps dans l'Armée. Plus longtemps qu'il
avait été démobilisé, plus longtemps qu'il avait été de
retour au Tennessee, marié et père de famille.

« Je les ai entendus passer sur la route à toute allure,
l'un après l'autre. Ils ont ralenti tous les deux d'un seul
coup, juste ici. Et puis ils sont repartis à fond de train.
Sur l'instant j'ai pas fait attention. »

La ceinture du shérif craqua encore plus fort.

« Eh bien, je regrette, mon gars. Tu ne peux pas reconnaître, à l'oreille, une voiture lancée à toute allure —
pas si tu es de l'autre côté de la colline. N'importe quel
avocat te démolirait ça en un tournemain. »

Le jeune homme était resté planté là sans rien dire,
tirant sur sa manche, et le silence était tombé sur le tron-
çon de route. « Ouais, dit-il. C'est bien possible.

— On fera tout ce qu'on pourra, mon gars...

— Je vous en serai très reconnaissant, shérif. Maintenant elle est morte. Nous ne pouvons plus faire grand-chose, ni les uns ni les autres.

— Non, à moins d'avoir de la chance, mon gars.

— Probablement. Je n'ai jamais eu beaucoup de chance dans la vie. Et vous shérif ?

— Je suis désolé, mon gars, dit le shérif. De toute façon on fera tout ce qu'on pourra. Sans témoins, c'est difficile. Ce sera, comme qui dirait par hasard, si on obtient jamais justice dans cette affaire. Je doute même qu'elle ait laissé la moindre marque, elle était tellement petite. »

Il n'entendait plus le shérif, car l'engourdissement s'était généralisé. Le shérif se détourna et s'adressa brusquement à ses hommes. « On va chez les Gillys, dit-il. Quelqu'un a téléphoné pour dire qu'il y avait encore eu du grabuge chez eux. Y en a qui ont l'air d'être nés mauvais. » Il se tourna à nouveau vers Carter et dit : « Désolé, mon gars. On fera ce qu'on pourra. » Le jeune homme ne sentit pas la pression maladroite de la main du shérif sur son bras.

Carter Bethane se tenait maintenant jambes écartées, se balançant avec aisance suivant les mouvements du camion. Il regardait l'étroit ruban noir qui filait sous les roues, se tortillait, montait et descendait à la manière des routes de montagne. De la cabine, au-dessous de lui, monta une phrase qu'on avait hurlée dans la conversation lointaine et affaiblie par la vibration du camion et le vent dans ses oreilles.

Un klaxon retentit derrière lui et Carter Bethane indiqua machinalement du bras que la route devant le camion était libre. C'était la courtoisie de la route, pratiquée dans les montagnes. La voiture s'élança avec assurance. Le jeune homme lui jeta un coup d'œil et son esprit engourdi enregistra quand même : Conduite intérieure Chivalay 36.

Il appartenait à une génération qui s'était fait un point d'honneur de reconnaître marques et modèles; cet entraînement avait eu son utilité pendant la guerre, car il avait fini par s'intégrer à la vie même de cette génération-là. La voiture était devenue un accessoire mécanique de l'existence dans les montagnes, au même titre que le fusil en son temps; et, comme le fusil, c'était un instrument de mort.

Accoudé à la cabine du camion, s'adaptant au roulis du véhicule, Carter Bethane restait tout engourdi dans le vent qui fraîchissait. Il regardait sans voir, tandis que le camion penchait tantôt à droite, tantôt à gauche, dans les tournants familiers de la route qui menait à la ville. Pas besoin de se concentrer sur la route : Carter Bethane la connaissait à fond et, dans sa rage et son chagrin impuissants, le parcours sinueux lui faisait l'effet d'un ami.

Il ne tourna plus la tête jusqu'à ce qu'il entendît un nouveau klaxon.

La « jeep » était peinte en orange vif et portait sur son pare-brise l'inscription STATION SERVICE GILLY FRÈRES. Le conducteur regarda le jeune homme debout à l'arrière du camion, puis chercha à voir la route au-delà du camion. Carter faisait face au vent; sans se retourner, il fit signe au conducteur d'attendre, de ne pas doubler. Une voiture, venant en sens inverse, les croisa avec la rapidité de l'éclair.

La jeep passa impatiemment sur la gauche, gagnant le milieu de la route. La main de Carter lui fit signe de se rabattre sur la droite. Une nouvelle voiture arrivait de l'autre côté.

Le camion, suivi de près par la jeep, entama un virage en lacet : à droite, à gauche, puis de nouveau à droite, descendant pour commencer et remontant vers le milieu du virage. Le tuyau d'échappement de la jeep pétarada sourdement : ce bruit était inoubliable, facile à reconnaître, tandis que son moteur tournait au ralenti dans la descente. Le conducteur regardait la main de Carter.

Les muscles du visage de Carter Bethane étaient encore plus engourdis et le vent qu'il affrontait encore plus fort. Mais en un instant son esprit était devenu clair et vif. A l'autre extrémité du lacet, il aperçut un éclair orange. Il le suivit des yeux, calculant froidement : il avait repris ses esprits. Il se retourna pour regarder la jeep orange derrière lui. Les yeux du conducteur étaient fixés sur Carter; ils quittèrent un instant la main signalisatrice et les deux hommes se regardèrent intensément, comme hypnotisés par le vent et la vitesse.

Puis, tandis que le camion penchait sur la gauche dans le virage, Carter Bethane changea de place pour garder l'équilibre, se retrouva de nouveau avec le vent debout et se prépara. Il sentit la pression du plancher sous ses semelles dans la montée et fit signe à la jeep d'avancer, d'un geste du bras gauche ample et gracieux — un mouvement plein d'assurance.

Le conducteur impatient appuya de tout son poids sur l'accélérateur et la jeep bondit vers la gauche. La collision des deux voitures orange fit beaucoup plus de bruit que le vent.

Le camion freina brusquement. Carter Bethane et les trois hommes de la cabine en sautèrent et coururent vers les jeeps fracassées. Le silence était absolu, reposant, après le vent. Les voix des hommes en étaient tout assourdies. Au début, ils avaient crié, puis ils s'étaient mis à parler doucement, par habitude, avec respect.

« Les deux Gilly — et de plein fouet.

— Bon Dieu, regarde-moi ça ! Ils ne laissaient jamais

personne conduire les jeeps. St t'avais pas été au courant, t'aurais eu du mal à les reconnaître, hein ? »

Ils traînaient les pieds, regardant tourner une roue, de plus en plus lentement. « Je savais bien qu'il leur arriverait quelque chose, rien qu'à les voir conduire comme des fous. »

Quand la roue eut fini de tourner, celui qui avait parlé le premier dit : « Bon, si on allait chercher le shérif ? On peut plus rien faire ici. » Puis il ajouta : « J'imagine que c'est sa dernière histoire avec les Gilly, au shérif. Dieu sait s'il en avait par-dessus la tête, et il était pas tout seul. On aurait dit qu'ils étaient nés mauvais, sournois et mauvais. »

Il se retourna vers Carter et, du ton un peu déplacé d'un homme qui vient d'être secoué, demanda : « Ça va derrière, mon gars ? J'avais oublié que t'étais là. »

Carter fit un signe de tête, puis ajouta, toujours aussi doucement. « J'allais monter jusqu'à la station service avec l'un d'eux, au lieu d'aller en ville. J'avais entendu passer l'une des jeeps il y a un moment et je pensais bien qu'elle devait être sur le retour à l'heure qu'il est.

— T'aurais pu attendre longtemps.

— Non, dit Carter en grimpant à l'arrière du camion.
— Je n'avais pas l'intention de les attendre longtemps ni l'un ni l'autre, de toute façon. »

Les autres ne l'entendirent pas. L'un d'eux, encore sous le coup de l'émotion, dit : « C'est drôle, hein, quand on y pense ? C'est à peu près les seules jeeps qu'on ait jamais vues sur la route. »

Les hommes grimpèrent dans la cabine et le camion redémarra. Accoudé à nouveau au toit de la cabine, Carter Bethane pensait que son voyage en ville n'avait plus d'objet. Il aurait peut-être eu assez des deux cartouches qui se trouvaient dans son automatique 45, sous sa chemise. Mais il aurait mieux valu avoir un plein chargeur. Ça n'avait plus d'importance.

Un klaxon retentit à nouveau derrière lui et la main de Carter Bethane fit instantanément un signe recommandant la prudence. Ils approchaient d'un nouveau virage.

TABLE